ASJA SVARIN

Latviešu valoda

Latvian
in 25 lessons

Māksliniece ***Sandra Jaundāldere***

ISBN 978-9984-22-841-9

SATURS. - TABLE OF CONTENTS.

PRIEKŠVĀRDS

Pasaulē ir apmēram 6000 valodu, un valodu daudzveidība ir viens no nākotnes problēmu aspektiem. Intensīvā iedzīvotāju pārvietošanās ir radījusi jaunu valodas situāciju, un ir prieks, ka daudzi latviešu valodu uzskata par bagātināšanās avotu un vēlas to apgūt. Tā viņiem ir ne tikai savas kompetences pierādījums darba tirgū, bet arī cieņas apliecinājums.

Šī grāmata ir tapusi, strādājot ar ārvalstu studentiem LU Valodu centrā. Tā paredzēta darbam grupā skolotāja vadībā, bet tikpat labi to var izmantot arī individuālām studijām. Tajā dominē lietišķa komunikatīva pieeja valodai, nepretendējot uz dziļu gramatikas un valodas īpatnību izpēti. Šis latviešu valodas mācību līdzeklis sastāv no 25 nodarbībām, kas strukturētas tā, lai, apgūstot pašus nepieciešamākos gramatikas jēdzienus, interesents varētu tos izmēģināt situatīvos vingrinājumos, bet pēc tam jau lietot ikdienas situācijās.

Tā kā par nodarbību starpniekvalodu ir izmantota angļu valoda, grāmatā tiek dots vārdu tulkojums vai nu pašā tekstā, vai atsevišķi nodarbībai pievienotā vārdnīciņā. Būtu vēlams katram, kas mācās, veidot savu individuālo vārdnīcu, apgūstamo tēmu ikreiz papildināt ar sev aktuāliem vārdiem un vārdkopām.

Darbā pie mācību līdzekļa ir izmantota gan pašmāju, gan ārzemju mācību grāmatu autoru pieredze un valodas metodiķu ierosinājumi, bet galvenokārt pieredze LU Valodu centrā, pārbaudot šos mācību materiālus praksē, proti, palīdzot interesentiem apgūt latviešu valodu gan individuāli, gan dažādās grupās.

Šis mācību kurss ir paredzēts tiem, kuri tikai sāk mācīties latviešu valodu un vēlas ātri apgūt tās pamatiemaņas, proti, spēju gan pajautāt kaut ko otram, gan pašam atbildēt uz jautājumiem, lai iesaistītos dažādās ikdienišķās sarunās (piem., iepazīstinot citus ar sevi, iepērkoties, ēdot utt.). Paredzot, ka šāds lomu spēlē aizsācies dialogs tiks adaptēts un turpināts reālajā situācijā, tematiski galvenā uzmanība tiek pievērsta cilvēkam (*ES* šajā pasaulē: kas esmu es pats, kas ir man apkārt, kas man patīk, garšo utt.), pakāpeniski paplašinot tematu loku un līdz ar to arī leksiku.

Turklāt katra nodarbība tiek balstīta uz noteiktu gramatisko materiālu, nostiprinot lietojuma iemaņas ar vingrinājumiem.

Tulkojums dots tekstā, kā arī klāt pievienotajā vārdnīcā tādēļ, lai sākumā tekstu varētu uztvert kopumā un tikai pēc tam ar vārdnīcas palīdzību to saprastu pilnībā.

Mācību kursā ir 25 nodarbības. Tā kā valodas apguves slodze pakāpeniski aug, informatīvi piesātinātākās nodarbības (piem., 13. nod.

par atgriezeniskajiem darbības vārdiem) būtu īpaši jāpielāgo atlases veidā katras grupas individuālajām prasībām. Tomēr uzskatu, ka vietumis ir nepieciešams informatīvs pārskats, jo šīs grāmatas uzdevums ir parādīt vienkopus svarīgāko latviešu valodas gramatiskajā sistēmā, lai pēc tam šīs pamatzināšanas varētu likt lietā, no atsevišķiem vārdiem, frāzēm, teikumiem kā no ķieģelīšiem katram pašam būvējot savu māju – stāstījumu par sevi, saviem draugiem, savām studijām, interesēm un iespaidiem, īsāk sakot, par savu dzīvi.

Asja Svarinska,
LU Valodu centra lektore

FOREWORD

There are approximately 6,000 languages in the world and the great variety of languages is one aspect of future problems. A new language situation has been created by an intense increase in newcomers. It is a joy that many of them consider Latvian a source of enrichment and want to master it. This is not simply a proof of their competence but also an acknowledgement of respect.

The book was developed working with foreigners in the LU Language Centre. It is intended for group work with a teacher's guidance but is equally useful for independent study. A communicative approach to the language is dominant – there is no deep research of grammar and language characteristics. This textbook consists of 25 lessons, so structured that the reader, mastering the most essential grammar concepts, can practise them in the related exercises and then use them in daily situations.

Since English is used as the intermediary language for the lessons, translations are given in the book, either in the text or in the vocabulary attached to each lesson. It is recommended to compile one's own vocabulary collection, constantly complementing the acquired subject with words and phrases needed.

The book has a supplement – a grammar summary, which can serve as a base for further study of Latvian.

In compiling this textbook, the experience of local and foreign textbook writers and language methodology as well as the experience of the author in the LU Language Centre, testing these teaching materials in practice have been used.

Asja Svarinska,
LU Language Centre lecturer

LATVIEŠU ALFABĒTS. THE LATVIAN ALPHABET.

Letters	Example	Approximate pronunciation
A a	galds (*table*), galva (*head*)	b**u**t, s**u**n
Ā ā	māte (*mother*), māsa (*sister*)	f**a**ther, c**a**r
B b	brālis (*brother*), balts (*white*)	**b**ig, **b**utter
C c	citi (*others*), ceļot (*to travel*)	ca**ts**
Č č	četri (*four*), čeks (*check*)	**ch**ild, **ch**ur**ch**
D d	diena (*day*), darīt (*to do*)	**d**ay
Dz dz	dzert (*to drink*), dzīve (*life*)	bu**ds**
Dž dž	dadži (*thistle*), džemperis (*jumper*)	**j**ump
E e	1) es (*I*), 2) esmu (*I am*)	1) **e**gg, 2) b**a**d
Ē ē	1) ēst (*to eat*), 2) tēvs (*father*)	1) ch**ai**r, 2) fl**a**t
F f	foto (*photo*), filma (*movie*)	**f**un, **f**ind
G g	galds (*table*), gads (*year*)	**g**ood, **g**ive
Ģ ģ	ģimene (*family*), ģitāra (*guitar*)	(an intermediary between -g- and palatal -d-)
H h	humors (*humour*), himna (*hymn*)	**h**ello, **h**alf
I i	silts (*warm*), ilgi (*long*)	t**i**p, s**i**t
Ī ī	īss (*short*), trīs (*three*)	f**ee**t, thr**ee**
J j	jauns (*young*), jūs (*you*)	**y**es, **y**ou
K k	kāja (*leg*), kafija (*coffee*)	**k**ing (no aspiration)
Ķ ķ	kaķis (*cat*), ķermenis (*body*)	(voiceless counterpart of ģ)
L l	labs (*good*), lampa (*lamp*)	**l**amp, **l**ook
Ļ ļ	ļaudis (*people*), ļoti (*very*)	mi**lli**on
M m	māte (*mother*), māja (*house*)	**m**ilk, **m**ain
N n	nazis (*knife*), nakts (*night*)	**n**ight, **n**o
Ņ ņ	ņemt (*to take*)	**n**ew
O o	1) ola (*egg*), logs (*window*) 2) foto (*photo*), 3) opera (*opera*)	1) **wa**llet, 2) r**o**b 3) **oi**l, m**o**re
P p	putns (*bird*), puika (*lad*)	**p**en, **p**encil
R r	roka (*hand, arm*), Rīga	b**r**ogue (no aspiration)
S s	suns (*dog*), seja (*face*)	**s**even, **s**it
Š š	šeit (*here*), šis (*this*)	**sh**e, **sh**oe

T t	tēvs (*father*), tagad (*now*)	**t**en, **t**all (no aspiration)
U u	uguns (*fire*), upe (*river*)	l**oo**k, p**u**t
Ū ū	ūdens (*water*)	f**oo**d, f**oo**l
V v	vecs (*old*), visi (*all*)	**v**ote, **v**ine
Z z	zeme (*earth*), zāles (*medicine*)	**z**ero, la**z**y
Ž ž	žēl (*pity*), žurnāls (*journal*)	plea**s**ure

Diphtongs

ai is pronounced like English ***fine:***
maize *(bread)*, bailes *(fear, fright)*, laime *(happiness)*

au is pronounced like English ***how:***
jauks *(fine, nice)*, tauta *(nation)*, augsts *(high)*, auksts *(cold)*, draugs *(friend)*

ei is pronounced like English *pr**ey**:*
meita *(daughter), Eiropa, kleita* (dress)

ui no counterpart in English:
puika *(boy, lad)*

o [uo] ola *(egg)*, skola *(school)*, logs *(window)*, soma *(bag)*

ie is pronounced like English ***ea**r:*
sniegs *(snow)*, iet *(to go)*, iela *(street, road)*, ieeja *(entrance)*, liepa *(lime-tree)*, latviešu valoda *(the Latvian language)*

Observe the additional sign over and under the letters!
1) palatalization sign for **ģ, ķ, ļ, ņ**;
2) sign for ch, sh, voiced sh = **č, š, ž**;
3) sign for lengthening of the vowels **ā, ē, ī, ū**.

Stress is usually on the first syllable: grāmata (*book*), es nelasu (*I am not reading*), pēcpusdiena (*afternoon*).

Lasiet! Pievērsiet uzmanību šaurajai *e, ē* skaņai (A) un platajai *e, ē* skaņai (B).

Read. Pay attention to the pronunciation of *e, ē* sound.

A **E, ē** – dēstīt, veselība, redzēsi, sēdēsim, eglei, sēnei, cēliens, seja, svece, ceļš, ritenis, mēle, mežs, bezgalīgs, saule, priede, es, bet, ne, nē, pēc, nest, vest, ēst, audzēt, mācēt, zīmēt, meklēt, peldēt, sēdēt, teātris, kamene, tēvija, ķēde, drēbnieks, neļķe, nedēļa, mērķis, spēlēt, skatuve, vāvere, okeāns, te, šeit, sekunde, dzert, slēpes, dejot, medīt, debesis, egle, elle, ekonomika, eksāmens, eksperiments, ēdnīca, eksistence

B **E, ē** – delna, ēna, retums, vēstule, ledū, vētrains, tēlot, telpa, žēlot, vēsture, vecāki, ēnains, ezerā, gleznains, uzņēmums, vētra, galvenais, peldus, elkonis, cena, sekot, vedekla, vēsāks, sega, dēls, sēdus, elpa, ēsma, metu, sens, senatne, pelni, esmu, ēka

Standardphrases

Sveiks! Sveiki!	Hello! How do you do! (*meeting*) Good-bye! (*parting*)
Labdien! Labrīt! Labvakar!	Good day! Good morning! Good evening!
Uz redzēšanos!	Good-bye! So long!
Piedodiet!	Excuse me! I beg your pardon!
Atvainojiet!	I am sorry!
Nekas, lūdzu!	That is all right!
Paldies!	Thanks!
Lūdzu!	Please!
Labprāt!	Gladly, with pleasure.
Diemžēl	unfortunately; I am afraid
Kā tevi (jūs) sauc? **Kāds ir tavs (jūsu) vārds?**	What is your name?

One should remember that there are 2 forms of the personal pronoun *you* – *tu* (the singular form) and *jūs* (the plural form).

! Note! You use *tu* when addressing a person you know well or a child, but *jūs* – when addressing a person, who is not familiar with you or is older than you.

2. NODARBĪBA

KAS TAS *(TĀ, TIE, TĀS)* IR?

Singular

Kas **tas** ir? (What is that?)

Tas ir gald**s**. Vai tas ir galds? Jā, tas ir galds. (Nē, tas nav galds.)

Kas tas ir? Tas ir log**s**.

Vai ... ... galds? Nē, tas ir logs. Bet kas tas ir? ... ... kok**s**. Vai ... ... ? Jā, ... (Nē, ...)

Kas tas ir? Tas ir vec**s** žurnāl**s**,

melns kaķ**is**,
ceļ**š**,
tēv**s,**

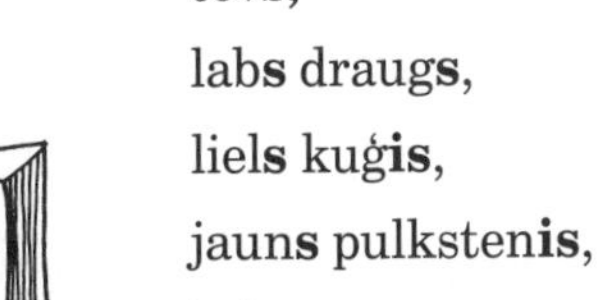

lab**s** draug**s**,

liel**s** kuģ**is**,
jaun**s** pulksten**is**,

led**us**,
liel**s** tirg**us**,
sald**s** med**us**.

Kas **tā** ir? Tā ir grāmat**a**. Vai tā ir grāmata? Jā, tā ir grāmata. Nē, tā nav ... .

Kas tā ir? Tā ir vec**a** vārdnīc**a**. Vai ... ... ? Jā. Tā ir ... . Tikai tā ir jaun**a**, nevis vec**a** vārdnīc**a**.

Kas tā ir? Tā ir māj**a**,

māsa, lab**a** draudzen**e**,

liel**a** lamp**a**,
garšīg**a** sēn**e**,
smaržīg**a** puķ**e**,
garšīg**a** zemen**e**,
up**e**,

jūr**a**,

sird**s**,
ugun**s**.

In Latvian there are two genders. Masculine nouns in the nominative case, singular, end in **-s/-š, -is** or **-us**. Feminine nouns have endings **-a, -e** or sometimes **-s**. There are six cases in Latvian. The nominative case answers the question **what?/who?**

! ***Note:*** In Latvian there is no difference between **what** and **who** – **kas** is used for both – persons and things.

Kas tas ir? Tas ir Jānis. Kas tas ir? Tas ir galds.
Kas tā ir? Tā ir meitene. Kas tā ir? Tā ir grāmata.

Plural

Kas **tie** ir?  Tie ir gald**i**,

log**i**,

vec**i** žurnāl**i**,

liel**i** kok**i**,

kaķ**i**,

ceļ**i**,

tēv**i**, lab**i** draug**i**,

liel**i** kuģ**i**,

jaun**i** pulksteņ**i**,

liel**i** tirg**i**.

Kas **tās** ir?  Tās ir grāmat**as**,

vārdnīc**as**,

māt**es**,

draudzen**es**,

sēn**es**,

zemen**es**,

up**es**,

jūr**as**,

vec**as** lamp**as**,

gudr**as** meiten**es**,

sird**is**,

gov**is**.

There are six declensions of nouns in Latvian.

Lietvārdu galotnes nominatīvā.
The Nominative endings of nouns.

		1. dekl.	2. dekl.	3. dekl.	4. dekl.	5. dekl.	6. dekl.
Nom.	viensk. *(sg.)*	**-s, -š**	**-is**	**-us**	**-a**	**-e**	**-s**
	daudzsk. *(pl.)*	**-i**	**-i**	**-i**	**-as**	**-es**	**-is**

Piemēram:

1. tēv**s** – tēv**i**
2. brāl**is** – brāļ**i**
3. tirg**us** – tirg**i**
4. mās**a** – mās**as**
5. māt**e** – māt**es**
6. uguns – ugun**is**

Kas tas ir? Bet kas ir šis? Šis ir krēsls, bet tas ir galds. Kas šī ir? Šī ir avīze. Vai šī arī ir avīze? Nē, šī nav avīze, šī ir grāmata.

Singular: **Tas/tā** (*that*) refers to something at a distance. **Šis/šī** (*this*) refers to something within one's reach. Plural: **tie/tās** and **šie/šīs**.

Kāds ir šis galds?

Šis galds ir mazs, bet tas ir liels galds. Šis ir mazs galds.

Kāda ir šī lampa?

Šī lampa ir liela, bet tā ir maza. Šī ir skaista lampa.

Kāds? Kāda? Kādi? Kādas? – what kind of ..., what does he look like? etc.
Kāda ir šī puķe? Šī puķe ir balta, bet tā ir sarkana.
Kādas ir šīs puķes? Šīs puķes ir ..., bet tās ir ... .
Kāds ir šis students? Šis students ir čakls (*active*), bet tas students nav čakls. Tas students ir slinks (*lazy*). Kādi ir šie studenti? Šie studenti ir ..., bet tie studenti ir ... . Kādas ir mūsu studentes? Mūsu studentes ir ... .

Kas tur (*there*) ir?
Tur ir ...

There is not a fixed word order in Latvian. The word order in a sentence can be changed.

būt – *to be*

Present – Tagadne		Past – Pagātne		Future – Nākotne	
es	esmu (I am)	es	biju (I was)	es	būšu (I shall be)
tu	esi	tu	biji	tu	būsi
viņš	ir	viņš	bija	viņš	būs
viņa	ir	viņa	bija	viņa	būs
mēs	esam	mēs	bijām	mēs	būsim
jūs	esat	jūs	bijāt	jūs	būsit, būsiet
viņi	ir	viņi	bija	viņi	būs
viņas	ir	viņas	bija	viņas	būs

Note! To be has the same form for the 3rd person singular and the 3rd person plural.

The Present interrogative and negative forms.

Vai es esmu? *(Am I?)* — Es neesmu. *(I am not.)*
Vai tu esi? *(Are you?)* — Tu neesi. *(You are not.)* etc.

Atbildiet uz jautājumiem!

Answer the questions.

Kas jūs esat? Es esmu students/studente.
Vai jūs esat vācietis? Jā, es esmu vācietis. Es esmu no Vācijas.
Vai jūs esat vāciete? Nē, es neesmu vāciete, es esmu somiete. Es esmu no Somijas. Mani sauc .... Mans vārds ir .... .

Transferring a foreign place name into Latvian, very often an ending *-a* is added to the word ending in a consonant: London – *London**a***, Stockholm – *Stokholm**a***.

The use of suffix is very common in the word formation.

Countries: **-ij-a**	Languages: **-isk-i**
Latvija Krievija Spānija	latviski krieviski spāniski
Nationalities: **-iet-is** *(masc.);* **-iet-e** *(fem.)*	
latvietis krievs spānis	latviete krieviete spāniete

Atbildiet uz jautājumiem!

Answer the questions.

No kādas valsts jūs esat? Kāda ir jūsu nacionalitāte? Kādā valodā jūs runājat? Es runāju ... *(I speak ...)*
Kas viņš ir? Kas viņa ir? Kāds viņš ir? Kāda viņa ir? Kādi mēs esam? Kāds ir šis jautājums? Interesants – neinteresants. Labs – slikts.

Vārdnīca. – Vocabulary.

avīze, laikraksts	newspaper
žurnāls	journal, magazine
brālis un māsa	brother and sister
brālēns, māsīca	cousin
draugs un draudzene	friend and girl-friend, playmate
meitene un zēns	girl and boy
māte un tēvs	mother and father
jautājums	question
jūra un upe	sea and river
ledus	ice
medus	honey
nevis tikai	not only

tirgus	market
uguns *(fem.)*	fire
balts	white
brūns	brown
dzeltens	yellow
melns	black
sarkans	red
zaļš	green
zils	blue

garšīgs – negaršīgs: tasty – nasty
labs – slikts: good – bad
mazs – liels: small, little – big
skaists – neglīts: beautiful – ugly
vecs – jauns: old – new, young

smaržīgs smelling, aromatic

3. NODARBĪBA

VIETA UN LAIKS: KUR?, KAD?, CIKOS?

Kur ir galds? Galds ir **šeit** (*here*). Istab**ā**. **Kur** ir studenti? Auditorij**ā**. **Kur** ir āboli? Veikal**ā** vai (*or*) tirg**ū**.

The locative case indicates place or time. Singular locative case endings always have a long vowel.

Kur ir logs? Logs ir **te** (*here*), bet koks ir **tur** (*there*). **Kur** ir koki? Koki ir park**ā**.
Kad ir auksti? Ziem**ā** ir auksti. **Kad** ir karsti? Vasar**ā**.

Lietvārdu galotnes lokatīvā.
The Locative endings of nouns.

		1. dekl.	2. dekl.	3. dekl.	4. dekl.	5. dekl.	6. dekl.
Lok.	viensk. (*sg.*)	**-ā**	**-ī**	**-ū**	**-ā**	**-ē**	**-ī**
	daudzsk. (*pl.*)	**-os**	**-os**	**-os**	**-ās**	**-ēs**	**-īs**

Piemēram:

1. tēv**ā** – tēv**os**
2. brāl**ī** – brāļ**os**
3. tirg**ū** – tirg**os**
4. mās**ā** – mās**ās**
5. māt**ē** – māt**ēs**
6. ugun**ī** – ugun**īs**

Kur ir studenti? Viņi ir ... (Latvija, māja, universitāte, parks, dzīvoklis, trolejbuss, tramvajs, automašīna, mežs, veikals, tirgus, teātris, izstāde, muzejs, kuģis, kinozāle, pils (*fem. – castle or palace*; *loc.* – pilī), valsts (*fem.*), skapis, koks, kafejnīca, ēdnīca, gulta, virtuve, lekcija, nodarbība)

Kas ir pļavā? Pļavā ir puķe. *(There is a flower in the meadow.)*
Kur ir puķe? Puķe ir pļavā. *(The flower is in the meadow.)*
Kas ir kokos? Putni *(birds)*. Kur ir putni? ...

!
Uzmanību! Nesajauciet!
Attention! Don't mix it up!
Cik *(how much/how many)*: **viens** brālis, **viena** māsa, **divi** brāļi, **divas** māsas, **trīs** brāļi, **trīs** māsas, **četri** brāļi, **četras** māsas, **pieci** ..., **piecas** ..., seši, ... septiņi, ... astoņi, ... deviņi, ... desmit, vienpadsmit, divpadsmit, trīspadsmit, četrpadsmit, piecpadsmit, sešpadsmit, septiņpadsmit, astoņpadsmit, deviņpadsmit, divdesmit, divdesmit viens ..., divdesmit viena ..., trīsdesmit, četrdesmit, piecdesmit ... ... simt/simts.

Cikos *(at what time)*: vien**os**, div**os**, trij**os**, četr**os**, piec**os** *no rīta*, ... desmit**os**, vienpadsmit**os**, trīspadsmit**os**, vien**os** *dienā*, ... vien**os** *naktī* ..., *pusnaktī*, pusdesmit**os**, pusdiv**os** ...

Ievietojiet pareizo vārdu!
Put in the right word.

Kas *tas* ir? ... ir tēvs.	Kas ... ir? ... ir lampas.	Kas ... ir? ... ir māte.
Kas ... ir? ... ir māja.	Kas ... ir? ... ir kuģis.	Kas ... ir? ... ir kaķi.
Kas ... ir? ... ir koks.	Kas ... ir? ... ir sēnes.	Kas ... ir? ... ir studenti.
Kas ... ir? ... ir jūra.	Kas ... ir? ... ir puika.	Kas ... ir? ... ir puķe.

Lietojiet lietvārdu lokatīvā!
Use the right noun in the locative case.

Kur ir tēvs? Viņš ir *istabā.*	istaba, slimnīca
Kur ir lampa? Tā ir ...	māja, veikals, pļava
Kur ir suns? Viņš ir ...	pagalms, bibliotēka, mežs
Kur ir māsa? Viņa ir ...	skola, tirgus, virtuve, plaukts
Kur ir grāmata? Tā ir ...	skapis, grāmatveikals, koks
Kur ir skolotāja? Viņa ir ...	darbs *(work, job),* stacija, Rīga

Tulkojiet latviski!
Translate into Latvian.

Father is old. Mother is good. Here is my sister. There is a table in the room. That flower is blue. Sister is at home. That is a house. The table is here. Father is in the meadow. The flower is in the grass *(zāle).* The house is old. That is an old house. That is a table. The table ir small.
Who is there? – Father is there. Who is good? – Sister is good. Where is mother? – Mother is at home. What is there? – A table. What colour is the bag? – The bag is brown. Who is your friend? – Jānis is my friend.
There was a table in the room yesterday. – Was there a table in the room yesterday? What was there in the room yesterday? Where was the table yesterday? When was there a table in the room?

Lietojiet vārdus pareizajā formā!
Put the words in the right form.

Kur ir lekcija? Lekcija ir ______________ (universitāte). Kur ir rentgens? Rentgens ir ______________ (poliklīnika). Kur ir avīzes? Avīzes ir ______________ (kiosks). Kur ir konference? Konference ir ______________ (institūts). Kur ir pase? Pase ir ______________ (policija). Kur tu esi? Es esmu ______________ (auditorija). Kur jūs esat? Es esmu ______________ .

Kur ir Pēteris? Viņš ir ________________. Kur ir ārsts? Ārsts ir ________________ (reģistratūra). Kur ir kafejnīca? Kafejnīca ir ________________ (Šarlotes iela). Kur mēs esam? Mēs esam ________________ (Latvija, Latvijas Universitāte, Medicīnas fakultāte, pirmais *(lok.: pirmajā)* kurss).

***Kas* vai *kur*? Jautājiet!**
***Who* or *where*? Ask.**

Teātrī ir **kafejnīca**. – Kas ir teātrī? Čeks ir **kasē**. – Kur ir čeks? Parkā ir **fotogrāfs**. Viņi ir **lekcijā**. Tirgū ir **banāni**. Āboli un bumbieri arī ir **tirgū**. Pasažieri ir **trolejbusā**. Ārste ir **kabinetā**. Es esmu **klasē**. Stūres iela ir **Rīgā**. Dekanāts ir **Šarlotes ielā**. **Slimnīca** ir Pārdaugavā. **Pārdaugavā** ir studentu kopmītnes.

Pārveidojiet sieviešu dzimtē!
Change into the feminine gender.

Piemēram: Viņš ir labs draugs. – Viņa ir laba draudzene.

Mums ir jauns ārsts. – Mums ir ...

Vai tavs kolēģis ir talantīgs? – Vai ...

Jūsu pacients ir optimists. – Jūsu ...

Viņš ir jautrs students. – ...

Kalniņa kungs ir labs lektors. – ...

Mūsu skolotājs ir gudrs. – Mūsu ...

Mans brālis ir čakls, viņš nav slinks. – ...

Man ir labi draugi. – Man ir ...

Viņa brālēns ir slims. – ...

Mūsu profesors ir jauns un neprecējies. – ...

Slimnīcā ir jauns ķirurgs. – ...

Vārdnīca. – Vocabulary.

vieta un laiks	place and time
dzīvoklis	flat
istaba	room
skapis	wardrobe
plaukts	shelf
virtuve	kitchen
ābols un bumbieris	apple and pear
ēdnīca	eating-house
kopmītne	hostel
pagalms	yard
veikals	shop
čeks	cheque, check
valsts	state
pase	passport
stacija	station
teātris	theatre
izstāde	exhibition
muzejs	museum
kino, kinozāle	cinema
mežs	forest, wood
automašīna	car
bibliotēka	library
reģistratūra	registry, reception
slimnīca	hospital
ārsts	doctor
ķirurgs	surgeon
puika	boy, lad
suns	dog

jautrs – bēdīgs: cheerful, merry – sad
gudrs – muļķīgs: wise, clever – foolish
slims – vesels: sick – healthy
precējies – neprecējies,
precējusies – neprecējusies *(fem.)***:** married – unmarried

KAS ES ESMU? KAS MAN IR?

Tā ir Džeina, bet tas ir Tarzāns.
Es esmu Džeina, bet tu esi Tarzāns.
Es esmu ..., bet viņš ir .... Kā jūs sauc? Un kāds ir jūsu vārds?
Es esmu .... Mani sauc .... Mans vārds ir .... Ļoti patīkami. *(Glad to meet you.)* Kā tev (jums) iet?/Kā tev (jums) klājas? *(How are you?)*

būt (piederēt) - *to have*

Apgalvojuma forma. - Affirmative.

Tagadne - Present		Pagātne - Past		Nākotne - Future	
man	ir *(I have)*	man	bija *(I had)*	man	būs *(I shall have)*
tev	ir	tev	bija	tev	būs
viņam	ir	viņam	bija	viņam	būs
viņai	ir	viņai	bija	viņai	būs
mums	ir	mums	bija	mums	būs
jums	ir	jums	bija	jums	būs
viņiem	ir	viņiem	bija	viņiem	būs
viņām	ir	viņām	bija	viņām	būs

Jautājuma un nolieguma formas.
The Present interrogative and negative forms.

Vai man ir? (Do I have?) Man nav. (I don't have.)
Vai tev ir? (Do you have?) Tev nav. (You don't have.) etc.

Tulkojiet!
Translate.

Man ir draugs. Viņu sauc Jānis. Man ir labi draugi. Es esmu studente Latvijas Universitātē Medicīnas fakultātē. Mani draugi arī ir studenti. Mums ir nodarbības latviešu valodā. Mums ir arī citas lekcijas. Vai jums ir labi draugi? Man šodien ir lekcija anatomijā. Vai tev arī šodien ir lekcijas?

Ievietojiet darbības vārdu *būt* pareizajā formā!
Insert the right form of the verb *būt*.

1. Es ________ Mārīte. 2. Vai jūs ________ profesors Kalniņš? 3. Tas ________ Alekss. 4. Viņš ________ mans draugs. 5. Vai jūs ________ Latvijā agrāk? 6. Mēs drīz ________ Jūrmalā. 7. Nesen tu vēl ________ mājās. 8. Vai jūs jau ________ Siguldā? 9. Vai jūs ________ no Indijas? 10. Vai jums ________ draugi dzimtenē? 11. Es ________ auditorijā. 12. Viņa ________ no Londonas. 13. No kurienes ________ tu? 14. Kur ________ stacija? 15. Es nekad ________ privātskolotāja. 16. Es drīz ________ 2. kursa studente. 17. Vai viņš ________ students? Nē, viņš ________ students. 18. Vai es ________ piektajā auditorijā? Nē, tu ________ piektajā auditorijā. Šī ________ 6. auditorija. 19. Jūs ________ tūrists, bet es ________ gide. 20. Jums ________ lekcija, bet man ________ brīvdiena. 21. Vai Jānis un Pēteris ________ draugi? Jā, viņi ________ draugi. 22. Viņa ________ skolā, jo viņai pašlaik ________ nodarbības latviešu valodā. 23. Mēs ________ universitātē, jo mums tagad ________ lekcijas anatomijā.

Uzrakstiet vārdus nominatīvā (daudzsk.) un lokatīvā (viensk. un daudzsk.)!
Write the words in the nominative case (plural) and in the locative case (singular and plural).

Nominatīvs		Lokatīvs	
Viensk. *(sg.)*	Daudzsk. *(pl.)*	Viensk. *(sg.)*	Daudzsk. *(pl.)*
tēvs	*tēvi*	*tēvā*	*tēvos*
meita			
ģimene			
dēls			
māja			
parks			
iela			
sieva			
vīrs			
sirds *(siev. dz.)*			
upe			
pilsēta			
kuģis			
jūra			
brālis			
māsa			
ceļš			
tirgus			
valsts *(siev. dz.)*			
draugs			

Kas? (what?): pirmdiena (*Monday*), otrdiena (*Tuesday*), trešdiena (*Wednesday*), ceturtdiena (*Thursday*), piektdiena (*Friday*), sestdiena (*Saturday*), svētdiena (*Sunday*), dzimšanas diena (*birthday*), janvāris, februāris, marts, aprīlis, maijs, jūnijs, jūlijs, augusts, septembris, oktobris, novembris, decembris

Kad? (when?): pirmdien, otrdien, trešdien, ceturtdien, piektdien, sestdien, svētdien, dzimšanas dienā, janvārī ... etc.

Cardinal numerals: viens (1), divi (2), trīs (3), četri (4), pieci (5) , etc.
Ordinal numerals: pirm**ais**/-**ā** (1.), otr**ais**/-**ā** (2.), treš**ais**/-**ā** (3.), ceturt**ais**/-**ā** (4.), piekt**ais**/-**ā** (5.), etc.

Lasiet!
Read.

Nākamreiz mums būs 5. nodarbība. Tas ir 1. variants. Kur ir 3. stāvs? Kur ir 340. telpa? Kāds datums ir šodien? Šodien ir ... . Kur ir 11. trolejbuss? Viņš ir 8. pretendents. Man ir 2 māsas. Mana 2. valoda ir angļu. Man ir 6 zīmuļi: 1. ir zils, 2. ir zaļš, 3. ir sarkans, 4. ir dzeltens, 5. ir brūns, 6. ir melns. Jums ir 2 lampas: 1. ir maza, bet 2. ir liela. 13. septembris, 19. septembris, 25. oktobris, 15. marts, 31. decembris, 21. novembris, 21 students, 21 studente etc.

Lietojiet pareizo galotni!
Use the right ending.

Šie āboli ir dārg-. Šīs zemenes ir lēt--. Medus ir garšīg-. Slimnīcā ir jaun- nodaļ- un jaun- ķirurg-. Slimniekam ir normāl- temperatūr-. Meitenei ir īs- mati. Viņš ir gudr- ārst-. Viņa ir čakl- student-. Ilzei ir gar-- kāj--. Ārstam ir gar-- ūs--. Tirgū ir sald- un skāb- ābol-.

Uzrakstiet vārdus ar pretēju nozīmi!
Write the opposites.

Īss – ____________, tievs – ____________, labs – ____________, vecs – ____________, priecīgs – ____________, skaists – ____________, pesimistisks – ____________, interesants – ____________, tīrs – ____________, neprecējies – ____________.

Gara – ____________, resna – ____________, slikta – ____________, jauna – ____________, bēdīga – ____________, neglīta – ____________, optimistiska – ____________, neinteresanta – ____________, netīra – ____________, precējusies – ____________.

Vārdnīca. - Vocabulary.

pašlaik	now, just now
nākamreiz, nākošreiz	next time
agrāk	before, earlier
dažreiz	sometimes
šodien	today
tagad	now, at present
vakar un aizvakar	yesterday and the day before yesterday
rīt un parīt	tomorrow and the day after tomorrow
nedēļa	week
mēnesis	month
gads	year
ģimene	family
vīrs un sieva	husband and wife
meita un dēls	daughter and son
vecmāmiņa un vectēvs	grandmother and grandfather
mazmeita un mazdēls	granddaughter and grandson
mati	hair
ūsas	moustache
kāja	leg
roka	hand
zīmulis	pencil

dārgs - lēts: expensive - cheap
īss - garš: short - long
salds - skābs: sweet - sour
tievs - resns: thin, slim - stout, fat
priecīgs - bēdīgs: glad, joyful - sad, sorrowful
tīrs - netīrs: clean - unclean, dirty

5. NODARBĪBA

MANA ĢIMENE

Man ir laba ģimene. Mana ģimene ir liela. Lūk, šajā attēlā (sk. 24. lpp.) ir mana ģimene! Te mēs visi esam kopā. Tā ir mana māte. Viņu sauc Anna. Tas ir mans tēvs. Viņu sauc Juris. Mana māte ir mājsaimniece, bet mans tēvs ir ārsts. Viņš ir ļoti aizņemts, viņš strādā slimnīcā, viņš ir ķirurgs. Bet tā ir mana vecmāmiņa. Viņas vārds ir Aina. Viņa

ir pensionāre. Agrāk viņa bija skolotāja. Vectētiņš ir Jānis. Jānis Latvijā ir ļoti populārs vārds. Viņš arī ir pensionārs. Kādreiz (*once*) viņš bija jūrnieks. Lūk, te ir mana māsa un viņas vīrs! Viņi ir precējušies, un viņiem ir divi bērni. Manas māsas vīrs Pēteris nestrādā. Viņš pašlaik ir bezdarbnieks. Dažreiz viņš strādā dārzā, bet viņš nav dārznieks. Darbs dārzā ir viņa hobijs. Mana māsa Maija ir Pētera sieva. Pēteris ir viņas vīrs. Maija ir enerģiska un gudra. Viņu bērni ir Ieva un Andris. Andris ir skolnieks, bet Ieva iet bērnudārzā. Mans brālis Imants arī ir čakls, viņš nav slinks. Viņš ir arhitekts. Mana ģimene ir lieliska. Tā ir draudzīga ģimene. Imants ir mans vecākais brālis, bet man ir arī jaunākais brālis. Viņš, tāpat kā vectēvs, arī ir Jānis. Viņam ir sešpadsmit gadu, un viņš studē koledžā. Mani brāļi, tāpat kā es, nav precējušies. Imantam ir līgava, bet viņas šeit – attēlā nav. Šajā attēlā ir arī mūsu suns Reksis. Mūsu suns nav dusmīgs, viņš ir draudzīgs.

Sakiet, lūdzu, cik cilvēku ir mūsu ģimenē! Cik bērnu ir mūsu ģimenē? Cik cilvēku ir manas māsas ģimenē? Cik cilvēku ir jūsu ģimenē? Kā sauc jūsu ģimenes locekļus? Kas viņi ir? Vai jums ir brālēni un māsīcas? Kur pašlaik ir jūsu vecāki? Vai jums ir vecvecāki?

Veidojiet jautājumus!
Make questions.

1. Tas ir tēvs. Kas viņš ir? Vai viņš ir jūsu tēvs?
2. Tā ir māte.
3. Šis ir skolotājs.
4. Tas ir galds.
5. Tā ir meitene, bet tas ir zēns.

The adjective is declined to agree with the noun. It takes the same gender, number and case as the noun. The (indefinite) adjective endings are the same as those for the most common masculine and feminine nouns. *Vecs* is declined as the noun *galds*. *Veca* is declined as the noun *grāmata*.

Veidojiet jautājumus vai atbildes!
Make questions or answers.

1. Kāds šodien ir laiks?
2. Mūsu ģimene ir ļoti jauka.
3. Mana māsa ir ļoti skaista.
4. Kāda ir jūsu māja?
5. Kāds šodien ir datums?
6. Grāmata ir interesanta.
7. Kāds ir jūsu garastāvoklis? *(mood, spirits)*
8. Kādā krāsā ir rozes?
9. Kādi ir jūsu mācību priekšmeti?
10. Ekonomika ir ļoti grūts mācību priekšmets.
11. Māja ir liela. ... Vai tā ir *jauna, veca, augsta, zema* māja?
12. Istaba ir *plaša* un *ērta*.
13. Logs ir *plats* un *tīrs*.
14. Cik ir pulkstenis?
15. Cik tev (jums) ir gadu?
16. Cikos ir mūsu nodarbība?
17. Cik ir pieci un četri?
18. Vai divi un trīs ir četri?
19. Vai jūs esat dusmīgs?
20. Vai jūs jau esat ārsti?
21. Kādi jums ir mājdzīvnieki?
22. Medicīnas fakultātē ir dažādi mācību priekšmeti.
23. Universitātē studē studenti no Eiropas.

Dialogs. - Dialogue.

– Labdien, Anna!	– *Hello, Anna!*
– Sveiks, Jāni!	– *Hello, Jānis!*
– Anna, iepazīsties ar manu draugu Juri.	– *Anna, meet my friend Juris.*
– Priecājos, Juri.	– *Pleased to meet you, Juris.*
– Šī ir mana draudzene Ilze.	– *This is my friend Ilze.*
– Patīkami iepazīties.	– *(It's) nice to meet you.*
– Kā tev iet? (Kā tev klājas?)	– *How are you?*
– Paldies, labi.	– *Thank you, fine.*
– Un tev?	– *And you?*
– Paldies, var iztikt.	– *Thank you, I'm all right (not so bad).*

! **Note!** Did you notice that both *Kā tev (jums) iet?* and *Kā tev (jums) klājas?* are translated as "How are you?".

Labrīt, Kalniņa kungs! (Jānis Kalniņš. Kalniņa kungs. *For polite introduction are used the words:* kungs – *Mr.*, kundze – *Mrs.*, jaunkundze – *Miss.* Kalniņa kundze. *Mrs. Kalniņa is Mr. Kalniņš' wife* (sieva). Vīrs – *husband.)*
Kā jums klājas? – Man klājas labi, paldies! – Šī ir mana sieva Ieva Kalniņa. – Lūdzu, iepazīstieties! (*Please, make acquaintance.*) – Priecājos!

Vārdnīca. - Vocabulary.

lūk!	look! there!
viss, visi	all
kopā	together
mājsaimniece	housekeeper
ļoti aizņemts	very busy
viņš strādā	he works, he is working
bezdarbnieks	unemployed
dārzs un dārznieks	garden and gardener
jūra un jūrnieks	sea and sailor

skolnieks, skolniece	pupil
vecākais un jaunākais	older and younger
līgava un līgavainis	bride and bridegroom
vecāki, vecvecāki	parents, grandparents
ģimenes locekļi	members of family
mājdzīvnieki	pets
laiks	time; weather
mācību priekšmets	subject
tāpat kā	just (as)
sacīt (sakiet!)	to say, to tell (say! tell!)
priecājos	I am glad (delighted).
lielisks	excellent

draudzīgs – dusmīgs: friendly – angry
jauks – nejauks: nice – bad, nasty, ugly
augsts – zems: high – low
plašs – šaurs: wide, broad – narrow

6. NODARBĪBA

ES DZĪVOJU RĪGĀ, STUDĒJU LATVIJAS UNIVERSITĀTĒ, BET VĒL NERUNĀJU LATVISKI

Darbības vārds. – The Verb.

1. konjugācija –	**2. konjugācija** -o-, -ā-, -ē-, -ī-, -ū-	**3. konjugācija** -ā-, -ē-, -ī-, -inā-
pirkt – *to buy* ņemt – *to take* dzert – *to drink* ēst – *to eat*	dzīv**o**t – *to live,* ceļ**o**t – *to travel,* lid**o**t – *to fly* strād**ā**t – *to work,* maks**ā**t – *to pay,* run**ā**t – *to speak,* jaut**ā**t – *to ask,* dom**ā**t – *to think,* mazg**ā**t – *to wash* mekl**ē**t – *to look for,* spēl**ē**t – *to play,* zīm**ē**t – *to draw,* med**ī**t – *to hunt* dab**ū**t – *to get*	dzied**ā**t, grib**ē**t, dal**ī**t, sveic**inā**t

dzīvot - ***to live***

Tagadne		Pagātne	Nākotne
Es	dzīv**o**ju	dzīv**o**ju	dzīv**o**šu
Tu	dzīv**o**	dzīv**o**ji	dzīv**o**si
Viņš / *Viņa*	dzīv**o**	dzīv**o**ja	dzīv**o**s
Mēs	dzīv**o**jam	dzīv**o**jām	dzīv**o**sim
Jūs	dzīv**o**jat	dzīv**o**jāt	dzīv**o**sit/dzīv**o**siet
Viņi / *Viņas*	dzīv**o**	dzīv**o**ja	dzīv**o**s

Kur jūs dzīvojat? Kur jūs dzīvojāt pagājušajā gadā? Kur dzīvo jūsu vecāki? Kur jūs dzīvosiet šajā gadā? Kur jūs drīz lidosiet? Kad jūs ceļosiet uz Igauniju *(Estonia)*? Kur jūs strādājat? Kur strādā jūsu māsas un brāļi? Kur jūs strādāsiet šoziem? Cik maksā maize Latvijā? Cik maksā lidojums uz Latviju? Kur futbolisti spēlē futbolu? Vai jūs spēlējat šahu *(chess)*? Vai jūs spēlējat klavieres? Vai jūs runājat latviski? Kādā valodā jūs runājat? Kur dzīvo igauņi un lietuvieši? Vai jūs studējat latviešu valodu? Kur jūs studējat? Vai jūs domājat studēt par ārstu?

Veidojiet teikumus pēc dotajiem piemēriem!
Make sentences following the patterns.

Es esmu no Latvijas. Es esmu latvietis. Es dzīvoju un studēju Rīgā. Es runāju latviski.

Es ____________ no ____________________. Es ____________

____________. Tagad es ____________ un ____________ Rīgā.

Es ____________ ____________.

Tu – Anglija, anglis, Krievija, krieviski
Viņš – Zviedrija, zviedrs, Amerika, angliski
Mēs – Indija, indieši, Igaunija, igauniski
Jūs – Vācija, vācieši, Itālija, itāliski
Viņi – Spānija, spāņi, Kanāda, franciski
Viņa – Dānija, dāniete, Lietuva, dāniski un lietuviski
Viņas – Francija, francūzietes, Austrālija, angliski
Es ...

Piederības vietniekvārdi. – The Possessive pronouns.

mans, mana	**mūsu**
tavs, tava	**jūsu**
viņa, viņas	**viņu**

man**s** dzīvokl**is**
man**a** adres**e**

Es dzīvoju Rīgā, Stūres ielā 2a. Mans brālis Juris arī dzīvo Rīgā. Viņa adrese ir Rīgā, Lāčplēša ielā 12, dzīvoklis 19. Mani vecāki nedzīvo kopā ar mums. Viņi dzīvo laukos, nevis pilsētā. Mana māsa nedzīvo kopā ar vecākiem, viņa ir precējusies, viņa un viņas vīrs dzīvo ārzemēs. Viņi strādā Kanādā, bet viņu meita pašlaik dzīvo un studē Īrijā. Viņas adresi es diemžēl nezinu. Sakiet, lūdzu, kāda ir jūsu adrese! Vai jūs dzīvojat studentu kopmītnēs? Vai jūs īrējat *(to rent)* dzīvokli Rīgā? Vai jums ir privātmāja?

Veidojiet teikumus pēc dotajiem piemēriem!
Make sentences following the patterns.

Agrāk viņš bija skolnieks, tagad viņš ir students, bet drīz viņš būs skolotājs.
Tu ... skolotājs ... sekretārs ... tulks (*interpreter*)
Jūs ... inženieri ... strādnieki ... arhitekti
Viņa ... profesore ... direktore ... ministre
Viņas ... studentes ... arhitektes ... māksliniences
Mēs ... pārdevējas ... studentes ... māsiņas
Es ...

Ievietojiet darbības vārdu *būt (to be, to have)* pareizajā formā!
Insert the right forms of the verb *to be – būt* and *to have – piederēt*.

1. Es ____________ māte. Man ____________ trīs bērni. Man drīz ____________ mazbērni.

2. Viņa ____________ arhitekte. Viņa ____________ ļoti aizņemta. Agrāk viņa ____________ studente.

3. Jūs ____________ studenti. Jums ____________ draugi. Jūs ____________ draugi.

4. Tu ____________ students. Tev ____________ sieva. Tu ____________ zobārsts. Tev ____________ pacients.

5. Viņi ____________ brāļi. Vai viņi ____________ studenti? Nē, viņi ____________ studenti.

6. Man ____________ draudzene. Viņa ____________ gudra. Man ____________ gudra draudzene.

7. Mums ____________ liela ģimene. Man ____________ 2 māsas un 2 brāļi.

8. Jūs ____________ ārsts. Jums ____________ liela privātprakse.

Tulkojiet!
Translate.

My father is a teacher. What is his father? My mother is a teacher, too. Here (*šeit*) is my sister. Is my sister at home? – Yes, she is at home. That is my home. That is my house. It is here. Is that your house? It is old (*veca*). Who is there (*tur*)? – My father. Where is my mother? – She is in the room. Is your house old? Where are we? – We are at home. Are you in the room? – Yes, we are there. Where is my chair (*krēsls*)? – It is in my room. Is the house white (*balta*)? – Yes, it is white. Father is old. Mother is good. That flower is blue (*zila*). The flower is in the grass (*zālē*). What is there? – A table.

Vārdnīca. – Vocabulary.

pagājušais gads, pērn	last year
šogad, šajā gadā	this year, in this year
nākamgad	next year
šajā ziemā, šoziem	this winter
lidojums	flight
klavieres	piano
valoda	language
pilsēta, lielpilsēta un lauki	town, city and country
ārzemes	foreign countries
diemžēl	unfortunately
es nezinu	I don't know
mākslinieks	artist, painter
pārdevējs/-a	seller, shop-assistant
medicīnas māsiņa	nurse
drīz	soon
zobārsts	dentist
Anglija	England
Dānija	Denmark
Francija	France
Igaunija	Estonia
Indija	India

Itālija	Italy
Kanāda	Canada
Krievija	Russia
Lietuva	Lithuania
Spānija	Spain
Vācija	Germany
Zviedrija	Sweden
un tā tālāk	and so on, *etc.*

7. NODARBĪBA

MŪSU MĀJA

Mēs dzīvojam Rīgā, Pārdaugavā, Stūres ielā 2a. Mūsu māja nav liela. Tā ir divstāvu māja. Mūsu mājā ir gaiša virtuve, maza vannasistaba, tualete, dzīvojamā istaba un guļamistabas. Pirmajā stāvā ir priekšnams un gaitenis. Dzīvojamā istaba ir liela. Šajā istabā ir dīvāns, brūns galds, daži brūni krēsli, grāmatu plaukts, televizors un dators. Guļamistabā, kas ir otrajā stāvā, ir gulta un skapis. Sienas tur ir gaiši zilas, griesti ir balti, bet grīda ir brūna. Tur ir arī tumši zaļš paklājs un vairākas lampas. Dzīvojamā istabā ir divi plati logi, bet virtuvē ir tikai viens šaurs logs. Virtuve ir maza, bet mājīga. Tur mēs gatavojam

brokastis un vakariņas. Mēs, vairāki studenti, izmantojam vienu virtuvi. Tur ir ledusskapis, elektriskā plīts, izlietne, siltais un aukstais ūdens, neliels galds. Mums patīk vakaros satikties virtuvē un runāt par mūsu dzīvi Latvijā. Vannasistabā ir vanna, duša un spogulis. Starp pirmo un otro stāvu ir kāpnes.
Pastāstiet, kāda ir jūsu māja!

Lietojiet atbilstošo piederības vietniekvārdu!
Use the possessive pronoun.

Mans televizors, mana māja, __________ ledusskapis, __________ guļamistaba, __________ vāze, __________ skapis, __________ lampa, __________ galds, __________ paklājs, __________ dators, __________ telefons, __________ griesti, __________ grāmatas, __________ sienas, __________ kāpnes, __________ durvis *(fem.)*, __________ tualete, __________ grīda, __________ dzīvoklis, __________ gulta, __________ dīvāns, __________ virtuve, __________ atpūtas krēsls, __________ draugs, __________ draudzene, __________ draugi, __________ draudzenes, __________ viesis, __________ viesi.

Pārveidojiet teikumus daudzskaitlī!
Change the phrases into the plural.

Man ir liels dārzs. – Mums ir lieli dārzi.

Viņam ir sarkana lampa. __________

Es studēju augstskolā. __________

Mana istaba ir maza. __________

Tava māsīca ir jauka meitene. __________

Viņas brālēns vakariņo restorānā. __________

Tev ir gaiša istaba. __________

Viņš būs lekcijā. __________

Cik maksā šis ābols? __________

Cik maksā šī kūka? __________

Man bija liela māja. ______________________________

Tu dzīvo lielā pilsētā. ______________________________

Es dzīvoju labā rajonā. ______________________________

Viņa strādā skolā. ______________________________

Veidojiet teikumus no dotajiem vārdiem!
Make sentences from the given words.

1. Pasts, liela, bija. 2. Ir, istaba, gaišs. 3. Skaists, ir, marka. 4.Vannasistaba, ir, tumšs. 5. Dzīvot, jūs, Rīga. 6. Grāmatas, interesants, būt. 7. Mēs, strādāt, universitāte. 8. Viņš, būt, tirgus. 9. Mani draugi, studēt, Medicīnas fakultāte. 10. Manas draudzenes, nedzīvot, viesnīca. 11. Es, studēt, pirmais kurss. 12. Es, būt, skolotāja. 13. Dārgs, viesnīca, būt, centrs. 14. Būt, tu, students. 15. Melns, mans, būt, telefons.

Pasvītrojiet pareizo formu!
Underline the right form of the word.

Dita ir (slims, slima). Andris ir (vesels, vesela). Ārste ir (jauns, jauna). Viņam ir (gudrs, gudra) draudzene. Imants ir (talantīgs, talantīga) ārsts. Man ir (grūts, grūta) darbs. Apelsīni ir (garšīgs, garšīga, garšīgi, garšīgas). Jums ir (labi, labas) draugi. Jūs esat (labi, labas) draugi. Tev garšo (melns, melna) kafija. Viņam ir (gari, garas) mati un (lieli, lielas) ausis. Viņai ir (zili, zilas) acis un (gaiši, gaišas) mati.

Atbildiet uz jautājumiem!
Answer the questions.

Vai tu esi virtuvē? Nē, es neesmu virtuvē. Es esmu gaitenī.

Vai jūs esat skolotāji? Nē, mēs ______________ skolotāji. Mēs ______________ studenti.

Vai viņi ir pasažieri? Nē, ______________ kontrolieri.

Vai jūs ... universitātē? Nē, ______________

Vai jūs jau bijāt Jūrmalā? ______________

Vai jūs ... no Somijas? ______________

Vai te ir slimnīca? Nē, ______________ aptieka.

Vai jūs esat policists? Nē, es __________ policists, viņš __________ policists.

Vai jums garšo šie banāni? Nē, __________ .

Dialogs. – Dialogue.

– Sveiks, draugs!	– *Hello, my friend!*
– Kas jauns?	– *What's new?*
– Nu tā, nekas sevišķs.	– *So-so, nothing in particular.*
– Un tev?	– *And what about you?*
– Man tāpat, nekas sevišķs.	– *The same with me – nothing in particular.*
– Atvaino, lūdzu, bet es steidzos.	– *Excuse me, please, but I'm in a hurry.*
– Es tev piezvanīšu.	– *I will call you.*
– Paldies, tas būs jauki.	– *Thank you, that will be nice.*
– Nav par ko!	– *Don't mention it.*
– Uz redzēšanos!	– *I'll see you.*
– Mums arī jāiet.	– *We must go, too.*
– Atā!	– *Bye!*
– Paliec sveiks!	– *Good-bye!*

Quite often Latvians say **dzīvo vesels**, which means "take care of yourself". **Atā** is an expression on the level of "bye-bye". The words **sveiks** and **sveiki** have been used both as a greeting and upon leaving.

Vārdnīca. – Vocabulary.

Pārdaugava	*district on the left bank of the Daugava*
stāvs	floor, storey
katrs no mums	each of us
griesti un grīda	ceiling and floor
siena	wall
atpūtas krēsls	armchair
paklājs	carpet, rug
vairāki, daži	several, some
mājīgs	cosy
brokastis, pusdienas, vakariņas	breakfast, dinner, supper
rīts, diena un vakars	morning, day and evening
satikties	to meet
acs *(fem.)*	eye

auss *(fem.)*	ear
apelsīns	orange
aptieka	chemist's shop, drugstore
ūdens	water

gaišs – tumšs: light – dark
silts – auksts: warm – cold
grūts – viegls: difficult – easy

8. NODARBĪBA

KO TU DARI?

TIEŠAIS PAPILDINĀTĀJS (DIRECT OBJECT)

Lietvārdi akuzatīvā

	1. dekl.	2. dekl.	3. dekl.	4. dekl.	5. dekl.	6. dekl.
Nom. viensk.	vīr**s**, ceļ**š**	vīriet**is**	tirg**us**	siev**a**	sieviet**e**	sird**s**
Akuz. viensk. *(sg.)*	**-u** vīr**u**, ceļ**u**	**-i** vīriet**i**	**-u** tirg**u**	**-u** siev**u**	**-i** sieviet**i**	**-i** sird**i**
Akuz. daudzsk. *(pl.)*	**-us** vīr**us**, ceļ**us**	**-us** vīrieš**us**	**-us** tirg**us**	**-as** siev**as**	**-es** sieviet**es**	**-is** sird**is**

In Latvian, the object is expressed by a noun in the accusitive case. It answers to the question *ko? – whom? what?*

Kas tas ir? Tas ir galds. Ko tu redzi? *(What do you see? Whom do you see?)*
Es redzu galdu, divus galdus, studentu, ... (cik?) studentus, studenti, ... (cik?) studentes.

Ko jūs spēlējat? Es spēlēju tenis-, futbol-, volejbol-, ģitār- *(guitar)*, bumb- *(ball)*, klavier-- *(pl., piano)*.

Ko jūs apciemojat (apciemot – *to visit*)? Es apciemoju vecmāmiņ-, māt-, tēv-, mās- (*sg.*), mās-- (*pl.*), brāl- (*sg.*), brāļ-- (*pl.*), māsīc-, brālēn-, Ann-.

Ko jūs fotografējat? ... ... meiten-, Rīg-, cilvēk--, puķ--, kok--, Vecrīgas iel--, Daugav-, skolotāj-.
Ko jūs nofotografējāt vakar?
Ko jūs novērojat (novērot – *to watch*)?
________ ________ putn--, cit-- student--, dzīv- Rīgā, slimniek-.

! Uzmanību!
Attention!

Ar ko? *With whom?* Ar ko jūs spēlējat tenisu? Ar tēvu (*with father*).
What with? Ar ko jūs spēlējat tenisu? Ar tenisa raketi (*racket*).
With him – ar viņ-; *with her* – ar viņ-

Tulkojiet teikumus un veidojiet jautājumus!
Translate the sentences and make questions.

Elga frequents exhibitions (*apmeklēt; izstāde*). ________________ ? I visit my granny (*apciemot*). ________________ ? I play the piano. ________________ ? I grow (*audzēt*) flowers. ________________ ? I see my sister . ________________ ? I watch (*novērot*) birds. ________________ ? I eat (*ēst = es ēdu*) a sweet apple. ________________ ? I drink (*dzert = es dzeru*) tea. ________________ ? I study together with him. ________________ ? My sister and brother study at the University. ________________ ?

Lasiet tekstu! Svītriņu vietā ievietojiet pareizās galotnes!
Read the text using the right endings.

Par ko? Es **domāju** par (*about*) draug-, par draudzen-, par Latvij-, par grāmat-, par dzimten-, par māt-, par tēv-.
Es **runāju** par medicīn-, par latviešu valod-, par draug-, par draudzen-, par universitāt-, par mūsu fakultāt-.

	Es **maksāju** tirgū par pārtik-, par maiz-, par sviest-, par sier- *(cheese)*, par ... .
	Man ir liela interese par medicīn-, par anatomij-, par latīņu valod-, par latviešu valod-.
Pār ko?	Es **lidoju** pār upi *(across the river)*, pār ezer-, pār Daugav-, pār jūr-, pār Rīg-, pār zem- (zeme – *earth, land, country*), pār pilsēt-.
	Es braucu pār tiltu *(to drive across the bridge)*.
Pa ko?	Es **staigāju** pa istabu *(to walk around the room)*, pa Vecrīg-, pa park-, pa virtuv-, pa ... , ... , ... , ...
	Es braucu pa ceļu *(to drive along the road)*.
Starp ko?	(kur?) – between
	Es **dzīvoju** starp frizētavu *(hairdresser's saloon)* un veikal-. Starp oper- un universitāt- ir jauks parks.
	Fotoveikals ir starp kafejnīc- un grāmatveikal-.

Ko tu dari? Ko jūs darāt? What are you doing? What do you do?
Ko jūs darījāt vakar? Ko jūs darīsiet rīt?

Lasiet un tulkojiet tekstu!
Read and translate the text.

Šodien es studēju, bet vakar es apmeklēju koncertu. Rīt varbūt es apciemošu savu draudzeni. Mana draudzene tagad dzīvo centrā, bet agrāk viņa dzīvoja Pārdaugavā rajonā starp Salu tiltu un Akmens tiltu. Viņa katru rītu brauca pār Daugavu un vēroja putnus. Viņa labi spēlē šahu, un mēs abi (abas) spēlēsim šo spēli. Vakar mēs spēlējām basketbolu universitātes sporta zālē. Mani draugi gatavo izstādi par dzīvi Āfrikā, jo viņiem ir liela interese par šo eksotisko reģionu. Drīz izstāde būs gatava un mēs vērosim Latvijas iedzīvotāju interesi par mūsu izstādi. Vai jūs katru dienu braucat uz universitāti (uz – *to* + *acc.*)? Vai jūs nofotografējāt Vecrīgas namus un ielas? Jūsu vecākiem būs liela interese par jūsu dzīvi Latvijā. Ko jūs labprāt spēlējat? Vai jūs spēlējat ģitāru? Vai jūs domājat par savu nākotni? Ko jūs plānojat darīt rīt? Varbūt jūs brauksiet uz Jūrmalu un staigāsiet pa pludmali? Vai jūs brauksiet viens vai kopā ar draugu vai draudzeni? Vai jūs brauksiet ar vilcienu vai autobusu? Ko jūs domājat par dzīvi Latvijā? Kas jums te patīk un kas nepatīk?

Vārdnīca. – Vocabulary.

iela	street
putns	bird
cits, citi	another, others

dzīve	life
slimnieks	patient
dzimtene	native country, birth-place
pārtika	food
pārtikas veikals	grocery
maize un sviests = =sviestmaize	bread and butter = sandwich
ezers	lake
varbūt	maybe, possibly, perhaps
abi, abas	both
nams, ēka, māja	building, house
krastmala	bank
viens, viena	one, alone
vilciens un autobuss	train and bus
patikt; man patīk	to like; I like

9. NODARBĪBA

KAFEJNĪCA, RESTORĀNS

Kas? kafejnīc**a** restorān**s** bār**s**
Kur? kafejnīc**ā** restorān**ā** bār**ā** *(in a café, in a restaurant, in a bar)*

Vārdi un frāzes. - Words and phrases.

ēdiens	meal, food
ēdienkarte	menu
ēst (es ēdu)	to eat (I eat)
gribēt (es gribu)	to want (I want)
vēlēties (es vēlos)	to wish (I wish)
garšot (man garšo)	to like *(about taste)* (I like)
patikt (man patīk)	to like (I like)

brokastis *(breakfast)* – **pusdienas** *(dinner)* – **vakariņas** *(supper)*

Augļu sula		Tēja	Kafija	Piens	Alus	Vīns	Limonāde
Maize	Sviests	Sviestmaize		Siers	Desa	Ola	Omlete
Sāls	Cukurs	Pipari	Smalkmaizīte			Kūka	Pankūka
Augļi	Ābols	Banāns	Ievārījums		Ķirši	Plūmes	Zemenes
Augļu – ābolu, bumbieru, ķiršu, plūmju, zemeņu, aveņu ievārījums							

Veidojiet teikumus!
Make sentences.

Man garšo **(kas?)**: augļu sula, sviestmaize, šķiņķis un siers.
Man negaršo apelsīnu sula, kūkas, piens un citi piena produkti.

Viņam garšo ________________, bet negaršo ________________.

Viņai garšo ________________, bet negaršo ________________.

Man patīk brokastot (ēst brokastis) mājās, bet pusdienoju (ēdu pusdienas) es labprāt kafejnīcā, jo man garšo saldie ēdieni (*desserts*).
Tagad es eju pusdienās (*I'm going to dinner*).
Ko tu parasti ēd pusdienās? **Ko** jūs parasti ēdat pusdienās?
Es ēdu **(ko?)**: sviestmaizi, šķiņķi un sieru. Es neēdu desu.
Ko tu dzer no rīta? **Ko** jūs dzerat no rīta?
Es dzeru **(ko?)**: pienu, kafiju, tēju, minerālūdeni. Es nedzeru alu.
Ko jūs ēdat no rīta brokastīs, ko jūs ēdat pusdienās un vakariņās? Ko jūs dzerat brokastīs, pusdienās un vakariņās? Kas jums garšo, un kas jums negaršo? Vai jums garšo augļi? Kādi augļi jums garšo vislabāk?
Kas ir vakariņās? *(What's for supper?)* Vakariņās ir biezputra (*porridge*).

Dialogs. – Dialogue.

– Man, lūdzu, vienu tēju un divas kūkas.
– Vai tēju ar cukuru?
– Nē, paldies, bez. Man tikai kafija garšo ar cukuru. Es gribu arī pankūkas ar ievārījumu.
– Ar kādu ievārījumu? Mums ir zemeņu, ķiršu un plūmju ievārījums. Varbūt jūs vēlaties pankūkas ar krējumu?
– Lūdzu, vēl glāzi sulas.

Ēdienkarte

Uzkožamie (*snacks*):
salāti (*salad*), zivis (*fish*)

Pirmie ēdieni:
buljons, zupa

Otrie ēdieni:
zivis (*fish*), gaļa (*meat*), aknas (*liver*), bifšteks (*beefsteak*), cūkgaļa (*pork*), cūkgaļas karbonāde (*pork chop*), jēra gaļa (*lamb, mutton*), liellopu gaļa (*beef*), teļa gaļas karbonāde (*veal cutlet*), kotletes (*meat croquettes, balls of minced meat*), cepta vista (*roast fowl, hen*), cālis (*chicken*)

Saldie ēdieni, deserts: kūkas, torte, saldējums, putu krējums (*whipped cream*) ar augļiem

Lasiet!
Read.

Tā ir ēdienkarte. Es esmu kafejnīcā. Es pusdienoju/es ēdu pusdienas. Tas ir galds. Vai šis galds ir brīvs? – Nē, šeit ir aizņemts (*occupied*). Tas ir šķīvis. Tā ir karote. Tas ir nazis. Tā ir dakšiņa. Tā ir tasīte. Tā ir glāze. Tā ir tējkarote. Tas ir ēdiens, bet tas ir dzēriens. Tas ir oficiants.

Dialogs. – Dialogue.

– Es gribētu *(I would like)* vistu, kartupeļus un salātus.
– Kurus salātus?
– Man, lūdzu, gurķus un tomātus. Man negaršo bietes *(beets)* un burkāni *(carrots)*. Es vēlos kāpostus *(cabbage)*.
– Kādu zupu jūs ēdīsiet? Es varu ieteikt *(to recommend)* skābu kāpostu zupu *(sauerkraut soup)*. Mums šodien ir arī biešu zupa *(beet soup)*, frikadeļu zupa *(meatball soup)*, skābeņu zupa *(sorrel soup)* un piena zupa.
– Nē, paldies! Es negribu zupas. Ko jūs varat piedāvāt *(to offer)* otrajā ēdienā?
– Mums ir cepta zivs, cepetis *(roast)*, maltās gaļas mērce *(meat sauce)*, karbonāde *(pork chop)*.
– Es neēdu cūkgaļu. Dodiet man gabaliņu vistas.
– Vai jūs vēlaties ceptus vai vārītus kartupeļus?
– Es labāk gribētu rīsus. Un desertā man, lūdzu, kompotu *(stewed fruit)*!
– Labu apetīti! Ja kas vajadzīgs vēl, lūdzu, sakiet! *(If you need anything else, please tell me!)*
– Jā, kur ir garšvielas *(spices)*: etiķis *(vinegar)*, pipari *(pepper)*, sāls *(salt)*, sinepes *(mustard)*?
– Te, lūdzu. Varbūt vēlaties vēl? *(Have you had enough?)*
– Man, lūdzu, rēķinu *(bill)*! Cik man jāmaksā?

Vārdnīca. – Vocabulary.

auglis; augļu sula	fruit; fruit juice
piens	milk
alus	beer

siers	cheese
desa	sausage
ola	egg
cukurs	sugar
smalkmaizīte	bun, muffin
ievārījums	jam
ķirsis, plūme, avene	cherry, plum, raspberry
gurķis un tomāts	cucumber and tomato
šķiņķis	ham
šķīvis	plate

10. NODARBĪBA

ES EJU UZ UNIVERSITĀTI, UN ES NĀKU NO UNIVERSITĀTES. KO DARA CITI?

iet – ***to go***; **nākt** – ***to come***

Es **eju uz** universitāti (uz + *Akuz.* = uz ko? uz kurieni?)
Es **nāku no** universitātes (no + *Ģen.* = no kā? no kurienes?)

Tagadne *(Present)*			Pagātne *(Past)*		Nākotne *(Future)*	
Es	eju,	nāku	gāju,	nācu	iešu,	nākšu
Tu	ej,	nāc	gāji,	nāci	iesi,	nāksi
Viņš / Viņa	iet,	nāk	gāja,	nāca	ies,	nāks
Mēs	ejam,	nākam	gājām,	nācām	iesim,	nāksim
Jūs	ejat,	nākat	gājāt,	nācāt	iesit/-iet,	nāksit/-iet
Viņi / Viņas	iet,	nāk	gāja,	nāca	ies,	nāks

Ievietojiet vajadzīgo a) darbības vārdu; b) galotni!
Put in the right a) verb; b) ending.

Kur jūs ... ? Mēs ... uz mājām. Es ... uz tirg-, uz bibliotēk-, uz darb-, uz veikal-, uz park-, uz baznīc-, uz muzej-, uz restorān-, uz kafejnīc-, uz kino, uz mež-, uz izstād-, uz nodarbīb-, uz dekanāt-, uz tramvaj-, uz trolejbus-, uz autobus-.
Kur jūs ... rīt? Kur viņš ... parīt? Kur mēs ... pēc nedēļas?
Kur tu ... vakar? Kur jūs ... aizvakar?

Darbības vārds. – The Verb.

1. konjugācija -	2. konjugācija -o-, -ā-, -ē-, -ī-, -ū-	3. konjugācija -ē-, -ā-	-ī-, -inā-
ēst – es ēdu dzert – es dzeru nākt – es nāku braukt – es braucu pirkt – es pērku cept – es cepu	dzīvot, apciemot lidot, ceļot, ogot sēņot, slēpot, slidot gatavot, smaržot runāt, strādāt, domāt mazgāt, staigāt jautāt, meklēt, audzēt	redzēt, dzirdēt atbildēt, raudāt dziedāt, varēt palīdzēt, ticēt peldēt, cerēt gribēt, sēdēt stāvēt	sildīt, gaidīt lasīt, rakstīt darīt, skaitīt mācīt, stāstīt dāvināt, vārīt mēģināt, rādīt sacīt, turpināt
! Salīdziniet! **Compare!**	es mazg**ā**ju tu mazg**ā** viņš, viņa mazg**ā** mēs mazg**ā**jam jūs mazg**ā**jat	es redzu tu redzi v. redz mēs redzam jūs redzat	lasu, turpinu lasi, turpini lasa, turpina lasām, turpinām lasāt, turpināt

Atbildiet uz jautājumiem!
Answer the questions.

Ko jūs lasāt? Ko jūs studējat? Kur jūs studējat? Ko jūs darāt universitātē? Uz kurieni jūs ejat katru dienu? Vai jūs uz universitāti ejat vai braucat? Ko jūs gribat darīt pēc universitātes? Vai jūs varat palīdzēt? Ko jūs redzat pa logu? Vai jums patīk studēt medicīnu? Kur jūs strādājat? Vai jūs mēģināt runāt latviski veikalā? Vai jūs bieži gatavojat pusdienas mājās? Kur jūs vārāt tēju? Vai jūs bieži domājat par mājām? Vai jūs rakstāt vai zvanāt uz mājām? Ar ko jūs runājat pa telefonu? Par ko jūs stāstāt saviem draugiem dzimtenē? Vai jūs domājat par savu nākotni? Kas jūs būsiet? Ko dara ārsts? Vai jums patīk dziedāt? Vai jūs bieži dziedat? Kad jūs raudat? Ko jūs gribat jautāt? Vai jūs ticat, ka drīz runāsiet latviski?

Veidojiet teikumus!
Make sentences.

	Ko?	*Kur? Kad?*
1. Es lasu	(grāmata)	(bibliotēka).
2. Māte vāra	(zupa)	(virtuve).
3. Rīdzinieki lasa	(sēnes)	(mežs).
4. Pēteris pērk	(āboli)	(tirgus).
5. Bērni spēlē	(bumba)	(pagalms).
6. Tu gaidi	(draugs)	(parks).
7. Jūs gaidāt	(vilciens)	(stacija).
8. Māsa domā par	(brālis)	(istaba).
9. Es eju uz	(teātris)	(vakars).
10. Tēvs iet kopā ar	(meita)	uz (teātris).
11. Sieviete pērk	(maize)	(veikals).
12. Viņš strādā par	(skolotājs)	(skola).
13. Zēns raksta	(vēstule)	(māja).
14. Meitene zvana pa	(telefons)	(pasts).
15. Viņa dzied	(dziesmas)	(koncerts).
16. Mēs meklējam	(darbs)	(vēstniecība).
17. Māsīca spēlē	(klavieres)	(kafejnīca).
18. Brālēns spēlē	(basketbols)	(vingrošanas zāle).
19. Jūs dzirdat	(troksnis)	(istaba un gaitenis).
20. Jūs redzat	(koki, iela, cilvēki, debesis, mākoņi, parks, tramvajs, automašīnas)	pa (logs).
21. Mēs mazgājam	(rokas)	(izlietne, bļoda).
22. Dārznieks audzē	(puķes)	(dārzs).
23. Students maksā par	(dzīvoklis)	(bankā).
24. Ārsts ārstē	(slimnieks)	(slimnīca).
25. Māsa tulko	(raksts)	(žurnāls).
26. Māsiņa injicē	(zāles)	(muskulis – *muscle*).
27. Es skaitu	(nauda)	(maks, kabata).
28. Tu apmeklē	(muzejs)	(Rīga).
29. Mēs vārām	(tēja)	(vakariņas).

Vārdnīca. - Vocabulary.

baznīca	church
vēstule	letter
vēstniecība	embassy
debesis *(fem.)*	sky
mākonis	cloud
troksnis	noise
raksts	article
maks	purse
kabata	pocket
dziedāt	to sing
raudāt	to cry, to weep
atbildēt	to answer
cerēt	to hope
darīt	to do
dzirdēt	to hear
gaidīt	to wait *(for)*
lasīt	to read
mācīt	to teach
palīdzēt	to help
peldēt	to swim
radīt un rādīt	to create and to show
rakstīt	to write
sēdēt	to sit
sildīt	to warm (up)
skaitīt	to count
stāstīt	to tell
stāvēt	to stand
ticēt	to believe
varēt	to be able, can
vārīt	to boil, to cook
dāvināt	to give a present
mēģināt	to try
turpināt	to continue, to go on *(with)*

IEPIRKŠANĀS

pirkt - ***to buy***; **dot** - ***to give***; **pārdot** - ***to sell***;
ņemt - ***to take***; **svērt** - ***to weigh***

Daudzpunktu vietā lieciet atbilstošos darbības vārdus!
Fill in the gaps with the right form of the verb.

Tagadne	Pagātne	Nākotne
Es dodu, pērku, ņemu, sveru	devu, pirku, ņēmu, svēru	...
Tu dod, pērc, ņem	devi, pirki, ņēmi	...
Viņš/Viņa dod, pērk, ņem	deva, pirka, ņēma	...
Mēs ...	...	...
Jūs ...	...	...
Viņi/Viņas	...	...

Ēst: es ēdu – ēdu – *ēdīšu (past root + ī + šu)*
Dzert: es dzeru - dzēru - *dzeršu (infinitive root + šu)*

Veidojiet teikumus!
Make sentences.

Es pērku tirgū (gaļa, kartupeļi, tomāti, banāni, sīpoli, ķiploki, zivis, zemenes, vīnogas, sviests, maize, siers, desa, šķiņķis, sula, ūdens, minerālūdens, rieksti, burkāni, bietes, kāposti).
Pārdevēja pārdod (gaļa, saknes, augļi, ogas, zivis, medus, dzērieni, saldumi) pārtikas veikalā *(grocery store)*.

Atbildiet uz jautājumiem!
Answer the questions.

Ko pārdod grāmatu veikalā? Ko var nopirkt tramvajā? Kur var nopirkt avīzi/laikrakstu vai žurnālu? Kur pārdod pastmarkas un konvertus? Kur var paēst?

Vārdi un frāzes. – Words and phrases.

Vai varu jums palīdzēt?	Can I help you?
Ko jūs vēlētos?	What would you like?
Es tikai vēlos paskatīties.	I'm just looking.
Es vēlētos to, lūdzu!	I'd like that, please.
Šo nē.	Not that.
Līdzīgu šim.	Similar to this one.
Tādu.	Like that.
Vai tas būs viss?	Will that be all?
Cik daudz jūs vēlaties?	How many (much) do you want?
Vai pietiks?	Is this enough?
Vēl, lūdzu.	More, please.
Mazāk, lūdzu.	Less, please.
Paldies, pietiks.	That's enough, thank you.
Tā būs labi.	That's fine.
Tas nav tas, ko es gribētu.	It's not what I would like.
Vai vēl kaut ko, lūdzu?	Anything else, please?
Paldies, es to ņemšu (neņemšu).	I'll (won't) take it, thank you.
Cik maksā šie apelsīni?	What's the price of these oranges?
Lūdzu, nosveriet man šo vīnogu ķekaru!	Please weigh this bunch of grapes for me!
Lūdzu, nosveriet kilogramu (puskilogramu) tomātu (banānu)!	Please weigh one kilogram of tomatoes!
Man, lūdzu, divus kilogramus kartupeļu (trīs citronus, kilogramu sīpolu)!	I'd like two kilograms of potatoes (three lemons, one kilogram onions).
Es gribētu šo kāpostgalviņu.	I'd like this head of cabbage.
Kāda tēja jums ir?	What kind of tea have you got?
Mums ir Indijas (Ceilonas, Ķīnas) tēja.	We have Indian (Ceylonese, Chinese) tea.
Es gribētu trīssimt gramus siera, kam nav asas garšas.	I'd like three hundred grams of mild cheese.

Liellopu (jēra, aitas) gaļu, lūdzu!	Some beef (lamb, mutton), please.
Mums ir plašā izvēlē vistas (tītari, pīles, zosis).	We have a wide choice of chicken (turkeys, ducks, geese).
Vai jums ir saldūdens (jūras) zivis?	Have you any kind of freshwater (saltwater) fish?

Lietojiet lietvārdus pareizajā formā!
Use the nouns in the correct form.

Ko jums, lūdzu, piedāvāt (*to offer*)?
Man, lūdzu, **ābolus** (āboli)!

- Vai varat piedāvāt arī ____________ (rīsi)?
- Nē, atvainojiet, rīsu nav, bet varu jums piedāvāt ____________ (makaroni).
- Lūdzu, ko jūs vēlaties? Es vēlos ____________ (šokolāde, minerālūdens un cepumi).
- Vai tu vēlies ____________ (kartupeļi)? Nē, es gribu ____________ (salāti).
- Vai drīkstu piedāvāt ____________ (cukurs)? Nē, paldies, labāk ____________ (piens).
- Viņš grib ____________ (arbūzs). Dod viņam ____________ (arbūzs)!
- Vai jūs gribat ____________ (torte)? Nē, paldies, es negribu ____________ (torte).
- Vai jūs gribat pirkt ____________ (jauna tējkanna – *teapot*)?
- Vai tu gribi lasīt ____________ (šī grāmata)? Es jau lasu ____________ (šī grāmata).
- Vai jūs vēlaties ____________ (deserts)? Jā, es vēlos ____________ (saldējums).
- Vai jūs vēlaties ____________ (šī vai tā kāpostgalviņa)?
- Vai jūs gribat ____________ (šis vai tas arbūzs)?

• Vai tu nopirki ____________________ (maize)? Jā, es nopirku ____________________ (baltmaize, rupjmaize un arī smalkmaizītes). Bet es aizmirsu (aizmirst – *to forget*) nopirkt ____________________ ____ (sviests, cukurs, gurķi, desa, aknas).

VĀRDNĪCA. – VOCABULARY.

gaļa	meat
kartupelis	potato
sīpols un ķiploks	onion and garlic
zivs *(fem.)*	fish
rieksts	nut
saknes, dārzeņi	vegetables
konverts, aploksne	envelope
pastmarka	stamp

GADALAIKI UN LAIKS LATVIJĀ

Latvijā ir četri gadalaiki: ziema, pavasaris, vasara un rudens. Tagad ir ziema. Ziemā ir auksti. Bieži snieg, dažreiz arī līst. Pašlaik ir decembris. Ārā ir liels vējš. Dienā saule reti silda zemi. Drīz būs Ziemassvētki. Un mēs ceram, ka tad laiks būs jauks, ka varēsim slēpot un slidot. Katrā mājā būs egle, prieks un dāvanas. Studentiem būs brīvdienas, bet janvārī sāksies sesija *(examination session)*. Man patīk pavasaris Latvijā. Tad ir silts, zied (ziedēt – *to bloom*) puķes, debesis ir zilas, spīd saule. Arī vasarā parasti ir jauks, saulains laiks. Rudenī laiks ir vēss. Ir diezgan mitrs. Tad cilvēki mežā ogo un sēņo. Septembrī ne tikai skolēni, bet arī studenti sāk mācīties. Skolēni iet uz skolu, bet studenti iet uz augstskolu. Jūs esat Latvijas Universitātes Ekonomikas fakultātes pirmā kursa studenti.

(Laiks – *weather.* Līst – *it is raining;* ārā – *outdoors;* vējš – *wind,* vējains – *windy;* sildīt – *to warm,* silda – *it is getting warmer;* zeme – *soil, earth;* debesis – *sky;* vēss – *cool, fresh;* mitrs – *wet;* spīdēt – *to shine.*)

Atbildiet uz jautājumiem!
Answer the questions.

Kāds šodien ir laiks? Lietus –  lietains; vējš –  vējains;

saule –  saulains; migla –  miglains; mākoņi –

mākoņains; auksts –  karsts; vēss –  silts.

Cik grādu ir šodien? Kāda ir gaisa temperatūra? Kādas ir laika prognozes? Kāda šodien ir diena? Kāda bija nakts?
Cik ir pulkstenis? Pulkstenis ir pusviens *(it is half past twelve).*
Cik ir pareizs laiks *(exact time)*? 12.30 (divpadsmit un trīsdesmit minūtes; pusviens), 17.00, 14.30, 10.15, 11.45, 20.00, 21.10, 23.05
Cikos sākas nodarbība latviešu valodā?
Cikos beidzas nodarbība latviešu valodā?

sāk**t**, sāk**ties** – *to begin, to start*;
beig**t**, beig**ties** – *to finish, to end*

! Uzmanību!
Attention.

Šodien ir silts **laiks** *(weather).* Pašlaik Latvijā ir grūts **laiks** *(time).*

Atbildiet uz jautājumiem!
Answer the questions.

Cik mēnešu ir gadā?
Cik dienu ir nedēļā? Cik jums ir darbdienu un cik – brīvdienu?
Cik nedēļu ir mēnesī?
Sakiet, lūdzu, cik ir pulkstenis!
Cikos jūs ceļaties (celties – *to get up*)? Cikos jūs ejat gulēt?
Kad ir jūsu dzimšanas diena?

Mēneši	Lokatīvs – kad?
Janvāris ir gada pirmais mēnesis.	Janvārī bieži snieg un ir auksts laiks.
Februāris ir gada otrais mēnesis.	Februārī manai draudzenei ir dzimšanas diena.

Veidojiet teikumus!
Make sentences.

Marts ____

Aprīlis ____

Maijs ______________________________

Jūnijs ______________________________

Jūlijs ______________________________

Augusts ______________________________

Septembris ______________________________

Oktobris ______________________________

Novembris ______________________________

Decembris ______________________________

Janvāris ______________________________

Februāris ______________________________

Veidojiet teikumus tagadnē, pagātnē un nākotnē!
Lietvārdiem pievienojiet pareizās galotnes!

Make sentences in the Present, Past, Future tenses.
Add the right endings to the nouns.

1. Juris (redzēt) ______________ kok- pagalm-.
2. Mēs (slēpot) ______________ mež- ziem-.
3. No rīta tu (vingrot) ______________ un (vārīt) ______________ kafij-.
4. Māte (vārīt) ______________ zup- virtuv-.
5. Es (jautāt) ______________ , bet tu (atbildēt) ______________ .
6. Kur jūs (strādāt) ______________ ? Es (strādāt) ______________ slimnīc-.
7. Skolotāja (mācīt) ______________ bērn-. Bērns mācās.
8. Ko tu (darīt) ______________ ? Es (lasīt) ______________ vēstul-.
9. Ko jūs (lasīt) ______________ ? Es (nelasīt) ______________ , es (sapņot) ______________ .

10. Studente (iet) ______________ uz tirg- un (pirkt) ______________ tomāt--, biet--, kartupeļ--, burkān--, ābol--, apelsīn--, mandarīn-- un ķirb-.
11. Es labprāt (ēst) ______________ ziv--.
12. Es (varēt) ______________ labi runāt latviski.
13. Es (vārīt) ______________ tēj-.
14. Kād- valod- jūs (runāt) ______________?
15. Es labprāt (spēlē) ______________ bumb-. Ko (spēlēt) ______________ jūs?
16. Bērni (meklēt) ______________ atbild-- uz jautājum-.
17. Dārznieks (audzēt) ______________ puķ-- siltumnīc-.
18. Ārsts (ārstēt) ______________ slimniek-- slimnīc-.
19. Jūs (apciemot) ______________ vecāk-- sav- dzimten-.
20. Jūs (lidot) ______________ uz Stokholm-.
21. Es (ceļot) ______________ ar kuģ- un ar vilcien-.
22. Asja (domāt) ______________ par teātr-. Par ko (domāt) ______________ jūs?
23. Sieviete (staigāt) ______________ pa park-.
24. Ko jūs (darīt) ______________? Es (gatavot) ______________ vakariņ--.
25. Mūsu ģimene (vakariņot) ______________ astoņ--.
26. Es (braukt) ______________ ar automašīn-, bet mans draugs (braukt) ______________ ar tramvaj-.
27. Mēs (gaidīt) ______________ pavasar-. Bet ko (gaidīt) ______________ jūs?
28. Sesijas laik- studenti (kārtot eksāmenus – *to take examinations*) ______________ eksāmen--.
29. Ko slimnīc- (darīt) ______________ māsiņas?
30. Ko jūs (darīt) ______________ universitāt- un māj--?

Vārdnīca. - Vocabulary.

egle	fir, Christmas tree
sapņot	to dream
siltumnīca	hothouse
savs, sava	my *(or* your *etc.)* own

bieži - reti: often - seldom
biezs - plāns: thick - thin

13. NODARBĪBA

MĀCĪT UN MĀCĪTIES

Es studēju/mācos ______________________ ko? kur?

Mani māca ______________________ kas? (skolotājs/pasniedzējs/docētājs)

Profesors māca ______________________ ko?

Aizpildiet tabulu!
Complete the table.

Tagadne	Pagātne	Nākotne
Es nemāc**u**, es māc**os**	nemācīj**u**, mācīj**os**	nemācīš**u**, mācīš**os**
Tu nemāc**i**, tu māc**ies**	nemācīj**i**, mācīj**ies**	nemācīs**i**, mācīs**ies**
Viņš / Viņa nemāc**a**, māc**ās**	nemācīj**a**, mācīj**ās**	nemācī**s**, mācīs**ies**
Mēs nemāc**ām**, ...	nemācīj**ām**, ...	nemācīs**im**, ...
Jūs nemāc**āt**, ...	nemācīj**āt**, ...	nemācīs**it/iet**, ...
Viņi/Viņas nemāc**a**, ...	nemāc**īja**, ...	nemāc**īs**, ...

Atbildiet uz jautājumiem!
Answer the questions.

Kur jūs mācāties? Ko jūs darāt universitātē? Kurā kursā jūs mācāties? Kā jums iet universitātē? Kā jums gāja sesijas laikā? Kādi mācību priekšmeti jums ir pirmajā kursā? Kas jums māca latviešu valodu? Vai jums ir studiju grāmatiņa? Cik eksāmenu jums bija šajā sesijā? Kāda ir atzīme latviešu valodā? Vai latīņu valodā jums bija ieskaite vai eksāmens? Kurš mācību priekšmets jums likās (likties – *to appear, to seem*) visgrūtākais (grūts – *difficult*; grūtāks, visgrūtākais)? Kurš – visvieglākais (viegls – *easy*; vieglāks, visvieglākais)? Kā jums patīk mācīties Latvijā? Kad jums bija sesija? Vai jūs nolikāt/nokārtojāt visus eksāmenus (nolikt/nokārtot eksāmenu – *to pass an examination*)? Vai jums ir parādi (parāds – *debt*; būt parādā – *to owe, to be indebted*)?

Atkārtosim!
Let us repeat!

Viensk.	**1. dekl.**	**2. dekl.**	**3. dekl.**	**4. dekl.**	**5. dekl.**	**6. dekl.**
Nominatīvs kas? *(what? who?)*	**-s, -š** tēvs ceļš students draugs zēns	**-is** kaķis kuģis brālis viesis latvietis	**-us** tirgus medus lietus alus ledus	**-a** māsa māja istaba lekcija grāmata	**-e** māte fakultāte zeme upe studente	**-s** sirds debess acs auss balss (*voice*)
Akuzatīvs ko? *(what? whom?)*	**-u** tēvu	**-i** kaķi	**-u** tirgu	**-u** māsu	**-i** māti	**-i** sirdi ... ...
Lokatīvs Kur, kad? *(where? when?)*	**-ā** tēvā	**-ī** kaķī	**-ū** tirgū	**-ā** māsā	**-ē** mātē	**-ī** sirdī ... ...
Daudzsk.	**1. dekl.**	**2. dekl.**	**3. dekl.**	**4. dekl.**	**5. dekl.**	**6. dekl.**
Nom. kas?	**-i**	**-i**	**-i**	**-as**	**-es**	**-is** ... ...

Akuz. ko?	... **-us**	... **-us**	... **-us**	... **-as**	... **-es**	... **-is** ... ...
Lok. kur? (kad?)	... **-os**	... **-os**	... **-os**	... **-ās**	... **-ēs**	... **-īs** ... ...

... ...

Veido akuzatīvu un lokatīvu!
Change the words into the accusitive and the locative forms.

Maza auditorija, liels galds, garšīgs medus, liela auss, laba draudzene, mīļš viesis, negaršīgs ūdens.

The adjective is declined to agree with the noun. It takes the same gender, number and case as the noun. The (indefinite) adjective endings are the same as those for the most common masculine and feminine nouns. *Vecs* (old) is declined as the noun *galds* (table). *Veca* (old) is declined as the noun *grāmata* (book).

Veidojiet teikumus!
Make sentences.

1. Viņi pērk (karote) ________________ (veikals) ______________ .
2. Draugi (meklēt) ______________ (bumba) ________________
   (zāle) ________________ .
3. Meitene (dzert) ________________ (kafija) ________________
   (kafejnīca) ________________ .
4. Jānis (gatavot) ______________ (vakariņas) ______________
   (virtuve, vakars) ________________ .
5. Studente (iet) ______________ uz (izstāde) ________________
   (diena) ________________ .

6. Es (mācīties) ________________ (latviešu valoda) ________________ (universitāte) ________________ .
7. Mēs (apmeklēt) ________________ (jaunas pilsētas) ________________ (Latvija) ________________ .
8. Jūs (domāt) ________________ par (darbs) ________________ (slimnīca) ________________ .
9. Ārsts (ārstēt) ________________ (slimnieks) ________________ (mājas) ________________ .
10. Students (varēt) ________________ labi runāt (latviešu valoda) ________________ .
11. Studenti (braukt) ________________ uz (nodarbība) ________________ (anatomija) ________________ .
12. Viņa (kārtot) ________________ (eksāmens) ________________ (matemātika) ________________ .
13. Lektors (jautāt) ________________ (jautājums) ________________ , bet students (atbildēt) ________________ .
14. Ilze (fotografēt) ________________ (draugi) ________________ (Vecrīga) ________________ .
15. Māte (vārīt) ________________ (tēja) ________________ (tējkanna) ________________ .
16. Profesors (mācīt) ________________ (studenti) ________________ operēt.
17. Tu (vērot) ________________ (dzīve) ________________ (pilsēta un kopmītnes) ________________ .
18. Mēs (gaidīt) ________________ (brīvdienas) ________________ ar (prieks) ________________ .
19. Es (klausīties) ________________ (mūzika) ________________ (koncerts) ________________ .
20. Mēs (skatīties) ________________ uz (tāfele) ________________ (auditorija) ________________ .

Pievērsiet uzmanību atgriezeniskajiem darbības vārdiem!
Pay attention to the reflexive verbs.

Tagadne

2. konjugācija

Es tagad bieži	**ciemojos** Rīgā.
tu	ciemojies
viņš/viņa	ciemojas
mēs	ciemojamies
jūs	ciemojaties
viņi/viņas	ciemojas

3. konjugācija

Es bieži vakaros	**izvēlos** mūziku	un **klausos** to.
tu	izvēlies	un klausies
viņi/viņas	izvēlas	un klausās
mēs	izvēlamies	un klausāmies
jūs	izvēlaties	un klausāties
viņi/viņas	izvēlas	un klausās

Pagātne

Agrāk es bieži	ciemojos Rīgā.
tu	ciemojies
viņš/viņa	ciemojās
mēs	ciemojāmies
jūs	ciemojāties
viņi/viņas	ciemojās

Agrāk es reti	izvēlējos	un klausījos mūziku.
tu	izvēlējies	un klausījies
viņš/viņa	izvēlējās	un klausījās
mēs	izvēlējāmies	un klausījāmies
jūs	izvēlējāties	un klausījāties
viņi/viņas	izvēlējās	un klausījās

Nākotne

Drīz es atkal	ciemošos Rīgā.
tu	ciemosies
viņš/viņa	ciemosies
mēs	ciemosimies
jūs	ciemosities (-ieties)
viņi/viņas	ciemosies

Rīt es noteikti	izvēlēšos	un klausīšos mūziku.
tu	izvēlēsies	un klausīsies
viņš/viņa	izvēlēsies	un klausīsies
mēs	izvēlēsimies	un klausīsimies
jūs	izvēlēsities	un klausīsities (-ieties)
viņi/viņas	izvēlēsies	un klausīsies

---

viesoties, ciemoties	to be on a visit	**izvēlēties**	to choose	**(sa)sveicināties**	to greet, to salute
draudzēties	to be friends	**turēties**	to hold (on)	**vingrināties**	to practise
fotografēties	to be photographed	**precēties**	to get married	**kļūdīties**	to be mistaken
pastaigāties	to take a walk	**vēlēties**	to wish, to desire	**parādīties**	to appear
rūpēties	to take care (of), to look after	**izvēlēties**	to choose	**piedalīties**	to take part (in)
(sa)runāties	to talk, to chat	**peldēties**	to bathe	**dalīties**	to share
gatavoties	to get ready, to prepare oneself			**skatīties**	to look (at)
interesēties	to be interested, to take interest (in)			**klausīties**	to listen (to)
darboties	to work, to be occupied (with)			**attīstīties**	to develop, to grow
mazgāties	to wash (oneself), to bathe			**raudzīties** (***tag.*: es raugos**)	to look (at)
spēlēties	to play, to toy (with)				

ārstēties	to undergo treatment
dusmoties	to be angry
raizēties	to worry (about), to trouble (about)
laulāties	to get married (in church)
tuvoties	to approach, to advance (towards)
spoguļoties	to look (at onself) in the mirror
pulcēties	to gather, to meet

Atbildiet uz jautājumiem!
Answer the questions.

Cik ilgi jūs jau mācāties latviešu valodu? Vai jūs brīvi sarunājaties latviski ar latviešiem? Vai tad, kad jūs pastaigājaties, jūs priecājaties par dabu? Ko jūs redzat, kad skatāties pa savu logu? Vai jūs bieži raugāties ārā pa logu? Vai jūs sasveicināties ar kaimiņiem? Vai jūs dalāties savos pārdzīvojumos *(emotional experience)* ar draugu? Kā jūs jūtaties (justies – *to feel*: es jūtos) Latvijā? Vai jūs rūpējaties par savu ģimeni? Vai jums patīk fotografēties?

Veidojiet teikumus pagātnē un nākotnē!
Change the sentences into the Past and Present tenses.

Andris šodien precas. Viņš jau sen draudzējas ar Intu. Viņi kopā mācās universitātē. Abi bieži klausās mūziku, skatās kino un teātra izrādes, interesējas par literatūru. Parasti viņi dalās savos iespaidos viens ar otru. Viņi turas pie tradīcijām un vēlas laulāties baznīcā. Andris rūpējas par savu jauno ģimeni, bieži ciemojas lauku mājās, kur dzīvo Intas vecāki. Kad Andris parādās uz ceļa, vienmēr sevišķi priecājas un ar viņu skaļi sasveicinās suns Duksis. Bet šodien Andrim nav laika. Šodien beidzas (beigties – *to come to an end, to be over)* viņa vecpuiša *(bachelor)* dzīve. Viņš steidzas (steigties – *to hurry:* es steidzos), gatavojas, spoguļojas, raizējas, jo viesi jau pulcējas.

Vārdnīca. – Vocabulary.

mācīt un mācīties → **mācīšana un mācīšanās**	teaching and learning
mazgāt un mazgāties → **mazgāšana un mazgāšanās**	washing and bathing
gatavot un gatavoties → **gatavošana un gatavošanās**	preparing and preparation
mācīt (es mācu) un mācēt (es māku)	to teach and to be able, to know (how to do smth.)
klausīt un klausīties	to obey and to listen

īss, īs*āks*, visīs*ākais* *(masc.)*/ īsa, īs*āka*, visīs*ākā* *(fem.)*	– short, shorter, the shortest
viegls (viegl*āks*, visviegl*ākais*)	easy
mīļš (mīļ*āks*, vismīļ*ākais*)	dear
grūts (grūt*āks*, visgrūt*ākais*)	difficult, hard
(jo) sevišķi	particularly
vienmēr, allaž	always
sen	long ago, for a long time
senāk	before

14. NODARBĪBA

IEPAZĪŠANĀS

– Labdien, Jāni	– *Hello, Jānis!*
– Lūdzu, nāc iekšā.	– *Please come in.*
– Novelc mēteli.	– *Take off (your) coat.*
– Kā tev iet?	– *How are you?*
– Paldies, labi.	– *Thank you, fine.*
– Un tev?	– *And you?*
– Man arī iet labi, paldies.	– *I'm fine, too, thank you.*
– Jāni, šī ir mana māsa Anna.	– *Jānis, this is my sister Anna.*
– Priecājos.	– *Pleased to meet you.*
– Un tas ir mans brālis. Viņa vārds ir Juris.	– *And that is my brother. His name is Juris.*
– Sveiks, Juri!	– *Hello, Juris.*
– Es viņu pazīstu. Mēs kopā mācāmies.	– *I know him. We are studying together.*
– Cik jauki tevi satikt!	– *How nice to meet you.*
– Vai jūsu vecāki ir mājās?	– *Are your parents at home?*
– Nē, viņu nav mājās. Māte ir darbā.	– *No, they are not at home. Mother is at work.*
– Un kur ir tavs tēvs?	– *And where is your father?*
– Viņš aizgāja uz veikalu.	– *He went to the shop.*
– Viņš drīz būs mājās. Iesim iekšā!	– *He will be back soon. Let's go in.*

Veidojiet dialogu!
Make a dialogue!

– Labvakar, ____________________ .

– ____________________ . Priecājos, ka jūs atnācāt. ____________________ .

– Paldies, tā nekas. Šodien bija grūta diena.

– ____ .

– ____.
– Mani vecāki grib ar jums iepazīties. Tas ir mans tētis Juris Ozols. Un mana māmiņa Ieva Ozola.
– Priecājos. Es esmu ______________.
– Bet ko jūs darāt Latvijā?
– ______________. Piedodiet, Ozola kungs, es vēl nevaru brīvi runāt latviski. Es vēl tikai ______________.
– Jūs jau runājat diezgan labi. Pastāstiet mums par sevi un savu ģimeni!
– Paldies par komplimentu. Es priecājos par uzaicinājumu. Jums ir jauka ģimene. Mana ģimene ______________.

Atbildiet uz jautājumiem!
Answer the questions.

Ko jūs šeit **darāt, darījāt, darīsiet**?

Ko jūs spēlējat? (teniss, klavieres, futbols, kārtis, dažādas spēles ...)

Ko jūs apmeklējat? (koncerts, izstāde, teātris, baznīca, lekcijas ...)

Ko jūs apciemojat? (draugi, draudzene, paziņas, vecāki, radinieki ...)

Ko jūs gatavojat? (pusdienas, vakariņas, lekcija, pārsteigums ...)

Kur jūs strādājat? (universitāte, slimnīca, veikals, bērnudārzs ...)

Par ko jūs strādājat? Par (skolotājs, ārsts, pārdevējs, audzinātājs ...)

Ko jūs darāt brīvdienās? (lasīt, slēpot, dejot, dziedāt, medīt, iet viesos ...)

Ko jūs darāt darbdienās? (mācīties, klausīties, slinkot, gulēt, sēdēt, runāt ...)

Vārdu veidošana. - Word-building.

darbs	darb**nīca** *(workshop)*, darbi**nieks** *(employee, clerk, worker)*, darb**ība** *(action)*, darbi**niece**, bezdarb**nieks**
skola	skol**nieks**, skolo**tājs**
maize	maiznīca *(bakery)*, maiznieks *(baker)*
grāmata	grāmatnīca
vēsts *(news)*	vēstniecība *(embassy)*, vēstnieks *(envoy, minister)*
slims *(sick)*	slimnīca, slimnieks, slimība *(illness)*
kafija	kafejnīca
dzīvs	dzīve, dzīvot, dzīvnieks *(animal)*
jūra	jūrnieks *(sailor)*
viesis	viesnīca, viesnīcnieks *(hotel-keeper)*, viesības *(party)*
sēta *(yard)*	sētnieks *(janitor, yard-keeper)*
pilsēta	pilsētnieks *(townsman)*
Rīga	rīdzinieks

Atbildiet uz jautājumiem!
Answer the questions.

Ko dara ceļotājs? Ko dara skolotājs? Ko dara mācītājs *(priest, parson)*?

Ko dara lidotājs? Ko dara dārznieks (strādāt, audzēt – *to grow*)?

Kas ir dārznieks? Tas ir cilvēks, kas ...

Kur jūs meklējat grāmatas? Kur jūs pērkat maizi? Kur jūs dzerat kafiju?

Kas ir slimnieks? Un kas ir ārsts?

Ko viņš raksta? Vai viņš ir rakstnieks?

Kas dzīvo viesnīcā? Kur strādā ārsts? Kur strādā vēstnieks?

Kas jūs būsiet, kad būsiet slims/-a?

Kas ir domātājs? Kas ir spēlētājs? Kas ir tulkotājs?

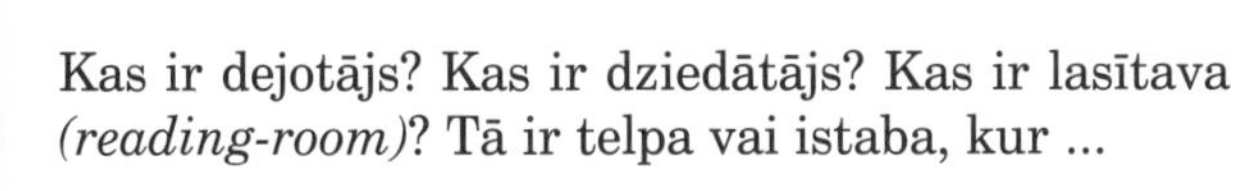

Kas ir dejotājs? Kas ir dziedātājs? Kas ir lasītava *(reading-room)*? Tā ir telpa vai istaba, kur ...

Kā sauc cilvēku, kas tulko grāmatas? Kā sauc cilvēku, kas nodarbojas ar biznesu (nodarboties – *to occupy oneself*)? Ko dara bezdarbnieks? Kur mācās studenti? Ko dara studenti?

Meklējiet atbilstošos vārdus!
Find the corresponding word!

in the morning	pirms nedēļas
this morning	pirms gada
last night	pirms mēneša
the day after tomorrow	pēc nedēļas
the day before yesterday	nedēļas laikā
a week ago	mēneša laikā
a year ago	vakar vakarā
within a week	šorīt
within a month	no rīta
a month ago	aizvakar
a week from today	parīt

Vārdnīca. – Vocabulary.

diezgan	rather
uzaicinājums, ielūgums	invitation
***(spēļu)* kārtis**	cards
spēle	play, game
pārsteigums	surprise, astonishment
audzinātāja/-s	educator, teacher
medīt (es medīju)	to hunt
slinkot	to be lazy
telpa	space, room
pazīt (es pazīstu)	to know smb (I know)
būt pazīstamam	to be acquainted (with)
iepazīties (es iepazīstos)	to make the acquaintance (of)
iepazīšanās	acquaintance

15. NODARBĪBA

CILVĒKS

Datīvs. – The Dative.

The dative is the case of the indirect object. Generally it follows verbs denoting the idea of giving (*dot – to give*), and answers the question ***kam?*** – *to whom?*

lab**s** tēv**s** → lab**am** tēv**am**	lab**i** tēv**i** → lab**iem** tēv**iem**
lab**s** brāl**is** → lab**am** brāl**im**	lab**i** brāļ**i** → lab**iem** brāļ**iem**
lab**s** tirg**us** → lab**am** tirg**um**	lab**i** tirg**i** → lab**iem** tirg**iem**

lab**a** mās**a** → labai māsai
lab**a** māt**e** → labai mātei
lab**a** sirds → labai sirdij

lab**as** mās**as** → labām māsām
lab**as** māt**es** → labām mātēm
lab**as** sird**is** → labām sirdīm

The verbs **dot** *(to give)*, **stāstīt** *(to tell, to relate)*, **rakstīt** *(to write)* are followed by the dative of the person *(indirect object)* and the accusative of the thing *(direct object)*.

Māte stāsta meit**ai** *(dat. – kam?)* pasak**u** *(akuz. – ko?). (Mother is telling (her) daughter a fairy-tale.)*
Kam māte stāsta pasaku? – meitai
Ko māte stāsta meitai? – pasaku
Viņa dod bērniem maizi. *(She is giving (some) bread to the children.)*
Dēls raksta tēvam vēstuli. *(The son is writting a letter to (his) father.)*

! Note!

There is no verb in Latvian for *to have*, but to express the possession the dative of the person with the verb *būt (to be)* is used:

Mātei ir grāmata. *Mother has a book.*
Kam ir grāmata? Mātei.
Tēvam ir māja. *Father has a house.*
Bērniem ir maize. *The children have (some) bread.*

ir/nav	**bija/nebija**	**būs/nebūs**

Lietojiet pareizās galotnes!
Use the correct endings.

Māte dod bērn-- *(sg.)* maiz-. Brāl-- gaida mās-. Es lasu skaist- pasak- bērn--. Tēv-- ir lab- draug- *(sg.)*. Tēv-- ir lab- draug- *(pl.)*. Dēl- dod māt-- vēstul-. Mās-- ir lab- grāmat-. Kad dzimšanas diena ir Jān--? Kam viņš raksta vēstul-? Draudzen--. Vai dēls raksta vēstul- māt--? Vai tu vakar zvanīji profesor--? Jur-- ir liel-- aus--. Meiten-- ir skaist-- ac--. Tirg- ir sarkan- ābol-. Ledusskap- ir liel- ziv-. Liel-- ziv-- ir liel- galv-.

Kas ir cilvēkam? Cilvēkam ir galva, kakls, kājas, rokas, mati, acis, ausis, vēders, mugura, seja, deguns, piere, zods, mute, vaigi, lūpas, uzacis, zobi, mēle, krūtis, plaukstas, pirksti, ceļi, sirds.

Personu vietniekvārdi datīvā. – The Dative of the personal pronouns.

Māris dod **man** (me) grāmatu.	es –	man
Jānis dod **tev** (you) grāmatu.	tu –	tev
Pēteris dod **viņam** (him) grāmatu.	viņš –	viņam
Anna dod **viņai** (her) grāmatu.	viņa –	viņai
Studenti dod **mums** (us) grāmatu.	mēs –	mums
Skolotājs dod **jums** (you) grāmatu.	jūs –	jums
Skolotājs dod **viņiem/-ām** (them) grāmatu.	viņi –	viņiem
	viņas –	viņām

Note!
! The verbs *patikt, garšot, sāpēt* are used with the noun or pronoun in the dative case.

Man patīk (*I like*): tev patīk (*you like*), viņam patīk ...
Viņam garšo (*he likes the taste; it tastes good to him*) ...
Man sāp (*I feel (have a) pain*) ...
Viņam sāp kakls (*he has a sore throat – rīkle*) ...
Viņam sāp acis (*his eyes ache*) ...
Man sāp galva (*I have a headache*) ...
Viņam sāp kāja (*he has a pain in his foot*) ...
Mātei patīk mana grāmata. *Mother likes my book.*
Vai tev garšo āboli? *Do you like apples?*
Kas jums garšo? Kas jums negaršo?

Tulkojiet!
Translate.

He gives (is giving) a book to a friend. Mother gives (something) to the child. The brother and the sister are reading a fairy-tale. Father is working in the meadow *(pļava)*. Mother works in the house. My brother has a sharp axe (*ass cirvis*), but he does not work with it. We are coming home. Where is father working? Your brother writes (is writing) a letter to my mother. I am not giving the book to our friend. I have a headache.
It is not cold. It is warm. I have got a question. Have you got time today? How are you? – So-so. We speak Latvian. I speak French and German. My uncle has a small house, and a very fine small garden. My aunt had a son and a daughter. Had your sister some milk in her glass? – Yes, she had. Milk is very good for children. Who writes (is writing) his uncle a long letter? – My friend, who was here. What do you like to read? I have a sore throat, a headache and a cough (*klepus*).

Atbildiet uz jautājumiem!
Answer the questions.

Cik jums ir gadu? Man ir ______________________ gadi.
Vai jums ir draugs vai draudzene?
Cik jums ir draugu šeit, Latvijā?
Vai jums ir laiks šovakar?
No kā jums ir bail? Man ir bail (*I am afraid*) no vilka.
Vai jums ir labs garastāvoklis? Jā, ______________________.
Vai jums ir automašīna?
Vai jums ir suns? Kādi mājdzīvnieki jums ir?
Kad jums ir dzimšanas diena?

Vārdnīca. - Vocabulary.

tā nekas not so bad
garastāvoklis mood
mājdzīvnieki pets
dzimšanas diena birthday

16. NODARBĪBA

KAS JUMS PATĪK/NEPATĪK, GARŠO/NEGARŠO, SĀP/NESĀP?

Lietojiet personu vietniekvārdu datīvā! Veidojiet jautājumus!
Ask questions. Fill in the gaps with the personal pronoun in the Dative.

kas tev kaiš/kait? – *what is the matter with you?*

Ilze ir slima. Kas *viņai* kaiš?

Andris ir slims. Kas __________ sāp?

Es esmu slims. Kas __________ kaiš?

Viņš ir slims. Kas __________ kaiš?

Vai __________ sāp galva?

Skolotāja ir slima. Kas ________ kaiš?

Vai ________ sāp kakls?

Bērni ir slimi. Kas ________ kaiš?

Vai ________ ir temperatūra?

Viņi ir slimi. Kas ________ sāp? Cik liela temperatūra ________ ir?

Anna un Ilze ir slimas. Kas ________ sāp?

Jūs esat slimi. Kas ________ sāp?

Jūs esat slims. Kas ________ sāp?

Vai jūs esat slims? Kas ________ sāp? Kur ________ sāp?

Mans suns ir slims. Kas ________ kaiš?

Šķiet, mēs esam slimi. Kas ________ kaiš?

Vai jūs zināt, kas ________ kaiš?

Atbildiet!
Answer.

Kas jums sāp? Vai jums bieži sāp galva? Kad jums biežāk sāp galva – no rītiem vai vakaros? Kas vēl jums sāp? Vai jums sāp galva latviešu valodas nodarbībās? Vai jums sāp galva latviešu valodas dēļ? Vai jūs bieži slimojat? Kas jums visbiežāk kaiš? Kas sāp cilvēkam, ja viņu nemīl?

Atbildiet uz jautājumiem!
Answer the questions.

Kam patīk koncerts? (Mēs) *Mums* patīk koncerts.

Kam patīk programma? (Studenti) ____________ patīk programma.

Kam garšo arbūzs? (Viņi) ____________ garšo arbūzs.

Kam garšo alus? (Jānis un Imants) ____________ garšo alus.

Kam patīk lekcija? (Jūs) ____________ patīk lekcija.

Kam garšo tēja un kafija? (Aina) ____________ garšo tēja, bet

(es) ____________ – kafija.

Kam garšo konfektes? (Viņas) ______________ garšo konfektes.

Kam negaršo šī limonāde? (Meitenes) ______________ negaršo šī limonāde.

Kam garšo ābolu sula? Ābolu sula garšo ______________ (visa ģimene).

Kam patīk ceļot? Ceļot patīk ______________ (visi).

Kam nepatīk šī filma? Šī filma nepatīk ______________ (mazi bērni).

Vai tev patīk šī glezna? Jā, ______________.

Vai jums garšo saldējums? Jā, protams, ______________.

Vai (Džons) ______________ garšo banāni? Jā, (viņš) ______________ garšo banāni.

Vai (slimnieki) ______________ patīk šī procedūra? Jā, (viņi) ______________ patīk.

Vai (profesors Krūmiņš) ______________ patīk šī lekcija? Jā, ______________.

Kam ir garlaicīgi (garlaicīgs – *boring, tedious, dull*)? (Es) ______________ ir mazliet garlaicīgi.

Lietvārdus iekavās pārveidojiet datīva formā!
Change the nouns in brackets into the dative form.

A (Policists) ______________ ir ierocis *(weapon, arm).*

(Kasieris) ______________ ir biļetes.

(Skolotājs) ______________ ir žurnāls, bet (skolotāja) ______________ ir avīze.

(Vecāki) ______________ ir bērni, bet (bērni) ______________ ir vecāki.

Medicīnas fakultātes (students) ______________ ir prakse slimnīcā.

(Mana draudzene) ______________ ir draugs no Japānas.

(Tavs tēvs) ______________ ir/pieder (piederēt – *to belong, to own*) banka.

(Slinki studenti) ______________________ ir daudz problēmu sesijas laikā.

(Slimnīca) ____________________ ir jauns jumts.

(Ārsts) ____________________ ir liela pacietība (*patience, endurance*) darbā ar pacientiem.

B Profesors palīdz (studenti) ____________________ .

Ārsts palīdz (pacienti) ____________________ .

Vai psihologs (jūs) ____________________ nepalīdz?

Jānis palīdz (draugs) ____________________ mācīties.

Imants palīdz (vecs vīrietis) ____________________ iekāpt trolejbusā.

Kasiere palīdz (veca sieviete) ____________________ apsēsties.

Vai jūs bieži palīdzat (veci cilvēki) ____________________ ?

Asistents palīdz (ārsts) ____________________ operēt.

Māsiņa palīdz (slimniece) ____________________ novilkt apavus.

Veidojiet teikumus!
Make sentences.

Lietvārds (Nom.)	Darb. v.	Lietvārds (Akuz.)	Lietvārds (Dat.)	Lietvārds (Lok.)
Māsa	gatavot	brokastis	bērni	virtuve
Brālis	labot	automašīna	kaimiņš	sēta
Draugs	rakstīt	vēstule	māte	pasts
Draudzene	palīdzēt, pirkt	cepure	brālis	tirgus
Viesis	dāvināt	dāvana	draugi	jubileja
Pārdevējs	pārdot	preces	pircēji	veikals
Bibliotekāre	dot	grāmatas	studentes	bibliotēka
Ceļotājs	ceļot	ar, vilciens	ar, draugi	vasara

dot – *to give*

Papildiniet tabulu!
Complete the table.

	Tagadne	Pagātne	Nākotne
Es	dodu	devu	došu
Tu	dod	devi	dosi
Viņš/viņa	dod	deva	dos
Mēs	...	...	...
Jūs	...	...	...
Viņi/viņas	...	...	...

Vārdnīca. – Vocabulary.

saslimt — to fall ill
slimot — to be ill *(with)*
dēļ — because of
vēl — yet, still
mīlēt — to love
procedūra — procedure, treatment
jumts — roof
iekāpt un izkāpt (es kāpju) — to step (get) in and to get out
apsēsties (es apsēžos) — to sit down, to take a seat
novilkt un uzvilkt (es velku) — to take off and to put on
apavi — foot-wear

17. NODARBĪBA

SARUNAS

Telefona saruna

Andris: Sveiks!
Gunārs: Nekā. Neesmu vis sveiks. Esmu slims.
A.: Vai tu jau ilgi slimo?
G.: Vakar biju vesels, šorīt jūtos slims.
A.: Kas tev sāp?

G.: Viss. Man gribas gulēt un necelties.
A.: Necelies arī. Nav nekā prātīga, ko darīt. Ārā ir slikts laiks. Bet man tomēr tevis ir žēl. Es tev apsolu vēlreiz piezvanīt. Sveiks!
(vis, arī – *reinforcing particles*; slimot – *to be ill*; prātīgs – *sensible*; apsolīt – *to promise*)

Saruna uz ielas

– Labdien, draugs! Kur steidzies?
– Eju uz aptieku pēc zālēm.
– Vai kāds ir slims?
– Mans brālis.
– Vai viņš jau ilgi slimo?
– Nē, viņš tikai vakar vakarā saslima. Viņam ir lielas iesnas, iekaisis kakls un stipri sāp galva.
– Ko ārsts saka? Vai kāda nopietna slimība?
– Ārsts domā, ka tā ir saaukstēšanās. Šādā aukstā laikā ļoti ātri var saaukstēties.
– Jā, arī es mokos ar galvassāpēm un stipri klepoju. Bet ceru, ka tas pāries. Novēlu tavam brālim drīzu izveseļošanos.
– Paldies. Uz redzēšanos.

(kur tu steidzies? – *where are you hurrying?* es eju pēc zālēm – *I am going to fetch medicine;* vakar vakarā – *last night;* viņam ir lielas iesnas – *he has a severe cold;* viņam ir iekaisis (iekaist – *to inflame*) kakls – *he has a sore throat;* es mokos (mocīties) ar galvassāpēm – *I suffer from headache;* tas pāries – *it will pass;* novēlu (novēlēt) drīzu izveseļošanos – *I wish (him) a speedy recovery*)

Atbildiet uz jautājumiem!
Answer the questions.

Vai jūs bieži slimojat? Vai jūs slimojat vairāk ziemā, rudenī vai pavasarī? Vai jūs slimojat arī vasarā? Vai jūs tagad esat vesels/-a? Vai jums nekas nesāp? Vai jums bieži sāp galva? Kad jums sāp galva – rītos, vakaros vai nodarbību laikā? Vai latviešu valoda jums sagādā (*to cause, to give*) galvassāpes? Vai jums ir zāles pret galvassāpēm? Vai jūs bieži dzerat zāles? Kādas zāles jūs dzerat? Kad jūs ejat gulēt – agri vai vēlu? Kā jūs guļat? Vai jūs varat ātri aizmigt (*to fall asleep*)? Ko jūs darāt, ja jūs nevarat aizmigt?

Iegaumējiet!
Learn by heart.

Kas tev kaiš?	What is the matter with you?
Man sāp galva/ir galvassāpes.	I have a headache.

Kas tev sāp?	What's the matter with you?
Vai tev sāp?	Does it hurt?
Man ir nelabi (slikti).	I don't feel well.
Man ir slikta dūša.	I am nauseous. I feel sick.
Man trūkst elpas.	I can't catch my breath.
Man ir bezmiegs.	I can't sleep.
Man ir vāja sirds.	I have a bad heart.
Atsauciet ārstu!	Call the doctor!
Rūpējies/rūpējieties par savu veselību!	Take care of yourself!
Izbeidz/-iet smēķēt!	Stop smoking!
Nepārpūlies/ nepārpūlieties!	Don't overstrain yourself!
Veseļojies/veseļojieties!	Recover!
Tikai mieru!	Take it easy.
Neuztraucies/ neuztraucieties par to!	Don't worry about it.
Sveiks un vesels.	Safe and sound!

Imperatīvs. – The Imperative.
Usually we form the Imperative by using the verb in the 2nd person singular or plural (Present Simple) without the personal pronoun *tu* or *jūs*.

Būt – tu esi – **esi! esiet!** **Iet** – tu ej – **ej! ejiet!** **Dot** – tu dod – **dod! dodiet!**

Ēst – tu ēd – **ēd! ēdiet!** **Braukt** – tu brauc – **brauc! brauciet!**

Dzīvot – tu dzīvo – **dzīvo! dzīvojiet!** **Slimot** – tu slimo – **neslimo!** ....

Veidojiet imperatīvu!
Form the Imperative.

Runāt – tu runā – *runā!* ____________ Strādāt – tu strādā – ____________ Mazgāt – tu mazgā – ____________

Jautāt – tu jautā – ____________ Meklēt – tu meklē – ____________ Spēlēt ____________ Domāt ____________

Kavēt ____________ Ceļot ____________

Varēt – tu vari – *vari! variet!* Atbildēt – tu atbildi – *atbildi! atbildiet!*

Cerēt – tu ceri – ____________ Redzēt – tu redzi – ____________

Lasīt – tu lasi – ____________ Dzirdēt ____________

Palīdzēt ____________ Sēdēt ____________ Stāvēt ____________

Gaidīt ____________ Darīt ____________ Rakstīt ____________

Parādīt ____________ Dziedāt ____________ Stāstīt ____________

Mazgāties – tu mazgājies – *mazgājies! mazgājieties!*
Mācīties – tu mācies – *mācies! mācieties!*

Klausīties – tu klausies – ____________ Skatīties – tu skaties – ____________

Rūpēties – tu rūpējies – ____________ Pūlēties (*to try hard*) – tu pūlies ____________

Veseļoties (*to recover*) – tu veseļojies – ____________

Uztraukties – tu uztraucies – ____________

Veidojiet imperatīvu!
Form the Imperative.

1. Es ēdu pankūkas. *Ēd tu arī! Ēdiet jūs arī!*
2. Viņi lasa un tulko tekstu latviski.
3. Jūs meklējat auditoriju.
4. Students zvana pa telefonu.
5. Ārsts ārstē slimnieku slimnīcā.
6. Mēs braucam uz universitāti katru rītu.
7. Daudzi jaunieši mācās Medicīnas fakultātē.
8. Jūs gaidāt draudzeni lasītavā.
9. Jūs rādāt ārstam mēli.
10. Es studēju dažādas valodas.

Let us go! **Iesim! Lasīsim! Brauksim! Mācīsimies!**

Vārdnīca. – Vocabulary.

saaukstēties → saaukstē**šanās**	to catch cold → cold
izveseļoties → izveseļo**šanās**	to recover → recovery
pārpūlēties → pārpūlē**šanās**	to overwork (oneself) → overwork, overstrain
(sa)redzēties → (sa) redzē**šanās**	to see each other → meeting
uz redzēšanos	good-bye, see you later!
uztraukties (es uztraucos)	to be excited, to be alarmed
uztraukums	excitement
agri vai vēlu	early or late

SMIEKLI IR VISLABĀKĀS ZĀLES

Kādam ārstam bija pacients, kurš mēdza viņu apturēt uz ielas, kad vien viņš viņu satika, un lūgt padomu. Ārstam tas bija līdz kaklam, un viņš nolēma to pārmācīt. Tā nākamajā reizē, kad pacients apturēja ārstu uz ielas un lūdza padomu par kādu kaiti, dakteris lika viņam aizvērt acis un izbāzt mēli. Tad viņš aizgāja projām, atstādams pacientu uz ielas ar aizvērtām acīm un izkārtu mēli.*

– Es domāju, ka cilvēkiem vairāk būtu jāstaigā basām kājām. Tas ir veselīgi.
– Gluži manas domas. Personīgi man, piemēram, vienmēr, kad pamostos apautām kājām, šausmīgi sāp galva.**

– Kas ir skleroze?
– Paskaidrošu tev ar piemēru. Stāv līks vecītis ar tukšu somu uz stūra un domā: "Vai es nāku no veikala vai vēl tikai eju uz turieni?"***

Tulkojiet!
Translate.

It was difficult to get up in the morning. Peter was in the bathroom, but I still lay in bed. We hurry home from university. We have much to do there. How long were you in the country? I was there the whole day. Would you please give me some change? I haven't any change just now. What a pity, I wanted to make a call. I don't know it by heart. Peter is sleeping late this morning because he is ill. Mother gives Peter medicine for relieving his cough. Imants has a headache, but he does not want to stay at home. The sky became brighter. I become rich. He became a teacher. *(Kļūt: kļūstu – kļuvu – kļūšu.)* I often make mistakes *(kļūdīties)*. I don't understand this word. The day before yesterday we were reading and writing in Latvian. Nobody spoke English. They were walking along the streets. It takes a long time. It is still early. It is not too late. Not too long ago I gave you my pen.

Iegaumējiet!
Learn by heart.

pirms brīža – a little while ago
pēc brīža – in a moment
pēc mirkļa – in a moment
gadu no gada – from year to year
visu dienu/nakti – all day/night long
kopš kura laika? – since when?

Pārveidojiet tagadnē!
Change into the Present tense.

Es aicināju viesus. Daži *(some)* man atbildēja ar vēstuli. Mēs meklējām savas grāmatas. Veikalnieks pelnīja lielu naudu. Auditorijā mēs runājām latviski. Vai tu dzirdēji, ko māte sacīja? Ko tu man jautāji? Zēns no rītiem mazgājās. Mēs strādājām līdz vēlam vakaram. Viņš rakstīja vingrinājumu. Jānis redzēja lielu suni. Saimniece vārīja mums pusdienas. Mēs ar brāli gājām uz mežu. Es klausījos putnu dziesmās. Viņš meloja, kad stāstīja par sevi. Es mācījos un intensīvi runāju latviešu valodā. Es gribēju sarunāties ar citiem.

ņemt – *to take*

paņemt *(to take away)*, **iz**ņemt *(to take out)*, **no**ņemt *(to take off)*

likt – *to put; to bid, to command*

uzlikt *(to put on)*, **no**likt *(to put down)*, **ie**likt *(to put in)*

Papildiniet tabulu!
Complete the table.

Tagadne – Present	Pagātne – Past	Nākotne – Future
es ņemu un lieku	ņēmu un liku	ņemšu un likšu
tu **ņem** un **liec**	ņēmi un liki	ņemsi un liksi
viņš/viņa ņem un liek	ņēma un lika	ņems un liks
mēs ...	...	...
jūs ...	...	...
viņi/viņas...	...	...

Imperative

ņemiet! lieciet!

Daudzpunktes vietā lieciet vārdu *ņemt* vai *likt*!
Fill in the gaps with *ņemt* or *likt* in the correct form.

Māte ... dēlam salasīt dārzā ābolus. Viņa saka: "... un ... ābolus grozā (*basket*)!" Viņš jautā: "Vai man vajag visus ābolus pēc tam ... skapī?" Māte atbild: "Nē, dažus ābolus ..., nomazgā un ... uz šķīvja!"

A good laugh

* A doctor had a patient who used to stop him in the street whenever he met him, and ask his advice. The doctor had enough of this and he decided to teach him a lesson. So the next time the patient stopped him in the street and asked him advice about his pain, the doctor made him shut his eyes and put out his tongue. Then he went away, leaving the patient with his eyes shut and his tongue out.

** – I think that people should walk barefoot more. It's very healthy.
– My own thoughts exactly! Personally speaking, for example, I always have a terrible headache when I wake up with my shoes on.

*** – What is sclerosis?
– I'll explain it to you with an example. A hunched little old man is standing on the corner and thinking: "Am I coming from the shop or am I still on my way there...?"

Vārdnīca. – Vocabulary.

mēgt (es mēdzu)	to be in the habit *(of)*, to be used *(to)*
satikt (es satieku)	to meet
nolemt (es nolemju)	to decide
lūgt (es lūdzu)	to ask, to beg
aizvērt un atvērt (es veru)	to shut, to close and to open
izbāzt un iebāzt (es bāžu)	to put out and to shove *(into)*
pelnīt	to earn
melot	to lie, to tell tales
salasīt (augļus)	to gather
saukt (es saucu)	to call
vispirms, pēc tam, tad	first of all, after that, then
vajadzēt (man vajag)	to need (I must)

likt (es lieku, tu liec)	1) to put, to place; 2) to bid, to command, to make
likt gulēt	to put to bed
likt kaktā	to make to stand in the corner
likt mierā	to leave in peace, to let alone
likt priekšā	to propose
likt saprast	to make smb. to understand
liec to aiz auss	put that in your pipe and smoke it!
likt kādam gaidīt	to make smb. wait, to keep smb. waiting
likties (man liekas)	to seem, to appear (it seems to me)
liekas, ka līs	it looks like rain

Atgriezeniskais vietniekvārds. – The reflexive pronoun.

sevis (ģen.)

Viņš stāsta **par sevi.** — *He tells about himself.*
Es ieleju **sev** krūzi tējas. — *I pour myself a cup of tea.*
Viņš redz **sevi** spogulī. — *He sees himself in the mirror.*

19. NODARBĪBA

RĪGA UN VECRĪGA

	iet – *to go*	braukt – *to drive*	skriet – *to run*	jāt – *to ride*
	ieiet	**ie**braukt	**ie**skriet	**ie**jāt
	iziet	**iz**braukt	**iz**skriet	**iz**jāt
	aiziet	**aiz**braukt	**aiz**skriet	**aiz**jāt
	apiet	**ap**braukt	**ap**skriet	**ap**jāt
	pāriet	**pār**braukt	**pār**skriet	**pār**jāt
	pieiet	**pie**braukt	**pie**skriet	**pie**jāt

saiet	**sa**braukt	**sa**skriet	**sa**jāt
uziet	**uz**braukt	**uz**skriet	**uz**jāt
noiet	**no**braukt	**no**skriet	**no**jāt
atiet *(to start, to leave*	**at**braukt *(to arrive)*	**at**skriet	**at**jāt
paiet *(to pass, to be over, to go)*	**pa**braukt *(to pass by)*	**pa**skriet	

dot – *to give*

Iedot – *to give, to hand;* **iz**dot –*to spend, to publish;* **iz**dot pavēli – *to issue an order;* **iz**dot noziedznieku – *to deliver up*; **aiz**dot – *to lend*; **pār**dot – *to sell;* **pie**dot – *to forgive, to pardon* (Piedodiet!); **sa**dot – 1) *to give (a quantity),* 2) *to give a slapping;* **uz**dot – 1) *to set,* 2) (uzticēt) *to charge (with), to commission;* **no**dot – 1) *to deliver, to hand over;* 2) **no**dot atklātībai – *to make public,* 3) *to betray;* **at**dot – *to give back, to return;* **pa**dot – *to pass, to hand, to give*

Rīga un Vecrīga

Latvijā ir lielas un mazas pilsētas. Rīga ir liela pilsēta. Tā ir Latvijas galvaspilsēta. Rīga ir arī veca pilsēta. Rīgā ir vecpilsēta, ko sauc par Vecrīgu. Rīgai 2001. gadā bija 800. dzimšanas diena. Cik gadu veca ir Rīga? Rīga tika dibināta *(was founded)* 1201. gadā. Rīgas centrā ir Latvijas Universitāte, kas ir dibināta 1919. gadā. No centra ar autobusiem, trolejbusiem un tramvajiem var aizbraukt uz dažādām Rīgas vietām. Uz kurieni jūs braucat visbiežāk? Kā jūs braucat uz universitāti? Varbūt jūs nebraucat, bet ejat kājām? Vai jūs jau bijāt Jūrmalā? Jūrmala arī ir Latvijas pilsēta. Tā ir pilsēta pie Baltijas jūras. Uz Jūrmalu var ātri aizbraukt ar elektrisko vilcienu.
Vecrīga ir Rīgas sirds. Tā atrodas starp Daugavu un Bastejkalnu un no Krišjāņa Valdemāra ielas līdz 13. janvāra ielai. Vecrīga ir maza,

bet ļoti interesanta pilsētas daļa. Tur ir jauki muzeji, skaistas mājas, šauras ielas, kuru nosaukumi stāsta par senām profesijām. Piemēram, Kalēju iela *(Blacksmiths' Street)*, Miesnieku iela *(Butchers' Street)* un Audēju iela *(Weavers' Street)*. Uz Smilšu *(Sand)* un Torņa *(Tower)* ielas stūra ir Pulvertornis *(Powder Tower)*. Ja jūs ejat pa Smilšu ielu no Pulvertorņa pa labi, tad pa kreisi pāri ielai ir gan ministrijas, gan kafejnīcas, bet ielas labajā pusē ir veikali, bankas un restorāni. Pavisam *(quite)* tuvu ir Vecrīgas centrs - Doma laukums *(square)*. Doma katedrālē ir ļoti slavenas ērģeles *(organ)*.

Pastāstiet, kas jums vislabāk patīk Vecrīgā!

Atbildiet uz jautājumiem! Izmantojiet dotos vārdus!
Answer the questions. Use the given words.

1. *Kā aiziet uz staciju? Ej (ejiet) taisni un pa labi!*
Kā aiziet uz viesnīcu? (iet, pa labi, viens kvartāls, uz stūra)
Kā aiziet uz universitāti? (iet, taisni uz priekšu, divi kvartāli)
Kā aiziet līdz pieturai? (iet, pa kreisi, taisni, pa labi, pie parka)
Kā aiziet uz pastu? (iet, gar tirgu, taisni, līdz stacijai)

2. *Kā aizbraukt uz centru? Brauc (brauciet) 3 pieturas ar 5. (piekto) tramvaju!*
Stacija - braukt, 4 pieturas, 21. autobuss
Banka - braukt, viena pietura, 2. tramvajs
Gaiļezera slimnīca - braukt līdz galam, 14. vai 18. trolejbuss
Jūrmalas centrs - braukt, elektrovilciens, 9 pieturas

3. *Sakiet, lūdzu, kur ir kafejnīca? Nāc (nāciet) iekšā, tā ir 2. (otrajā) stāvā.*

Viesnīca – braukt, 5. trolejbuss, iet, viens kvartāls atpakaļ
Stūres iela – braukt, ... pieturas, ... tramvajs vai ... trolejbuss, vai ... autobuss
1. slimnīca – braukt, viena pietura, 4. trolejbuss vai iet kājām 3 kvartāli
Kad iet vilciens uz Jūrmalu? 11.25, 12.15, 12.40. 13.00, 13.30
Cikos atiet autobuss? 14.00, pēc 5 minūtēm
Muzejs – braukt pa šo ielu taisni, pa kreisi, pa labi, atkal pa kreisi

Atkārtojiet imperatīvu! Pabeidziet teikumus, lietojot darbības vārdus imperatīvā!
Repeat the Imperative. Finish the sentences, using the verb in the Imperative.

Ja tu gribi lasīt, lasi! Ja jūs gribat lasīt, lasiet! Ja tu negribi lasīt, nelasi! Ja jūs negribat lasīt, nelasiet!

Ja tu negribi atbildēt, ____________! Ja jūs negribat atbildēt,

____________!

Ja tu gribi iet, ____________! Ja jūs gribat iet, ____________!

Ja tu gribi jautāt, ____________!

Ja tu negribi gulēt, ____________!

Ja tu negribi ēst, ____________!

Ja tu gribi meklēt, ____________________!

Ja tu negribi stāstīt, ____________________!

Ja tu gribi braukt, ____________________!

Ja tu gribi maksāt, ____________________!

Ja tu nāc, tad nāc ātrāk! Ja jūs nākat, tad nāciet ātrāk!

Ja tu guli, tad guli un nerunā! Ja jūs ____________________!

Ja tu mācies, tad mācies un nepļāpā! Ja jūs ____________________

____!

Ja tu klausies mūziku, tad klausies un netraucē citus! Ja jūs ________

____!

Ja tu dod naudu, tad dod un ilgi nedomā! Ja jūs ____________________

____!

Vārdnīca. - Vocabulary.

atrasties (es atrodos)	to be, to be situated (placed)
nosaukums, vārds	name
stūris un kakts	corner
kvartāls	block
taisni uz priekšu	straight on
pa labi un pa kreisi	to the right and to the left
atpakaļ	back
uz priekšu un atpakaļ	back and forth; backwards and forwards
starp	between

20. NODARBĪBA

VESELĪGS DZĪVESVEIDS

– Es esmu tik nomākts un nevaru ne ar vienu norunāt tikšanos, – savam ārstam žēlojas 125 kg smags vīrietis. – Mēģināju darīt visu, lai zaudētu svaru. Bet nekas nepalīdz.

- Domāju, ka es varu palīdzēt, - teica ārsts. - Apģērbieties un esiet gatavs iziet no mājas rīt no rīta pulksten 7.00!
Nākamajā rītā skaista sieviete pieklauvēja pie vīrieša durvīm. - Ja jūs varat mani noķert, jūs varat mani dabūt, - viņa teica, uzsākot skrējienu. Viņš pūzdams elsdams viņai sekoja.
Šāda veida skrējiens turpinājās katru dienu turpmākos piecus mēnešus. Vīrietis zaudēja vairāk nekā 50 kg un beidzot jutās pārliecināts, ka spētu noķert sievieti nākamajā dienā. Tajā rītā viņš plaši atvēra savas mājas durvis un ieraudzīja 125 kg smagu sievieti, kas viņu tur gaidīja.
- Dakteris man teica, - viņa sacīja, - ka, ja es varu noķert jūs, es varu jūs dabūt.*

Vecāki saņem vēstuli no dēla, kas atrodas vasaras atpūtas nometnē: "Man iet labi. Laiks šeit ir lielisks. Sāku trenēties boksā. Jaunā zobu suka man vairs nav vajadzīga."**

Prievārdu lietojums ar akuzatīvu.
The use of prepositions with the Accusative.

1. **ap** – *around*

Ap galdu sēž studenti.
Ap viņu vienmēr ir draugi.

2. **pār** – *above, over*

Pār ezeru lido putni.
Pār upi ir tilts.

3. **par** – *about*

Mēs runājam par šo slimību.
Vai jūs runājat par medicīnu?
Es strādāju par māsiņu.

4. **pret** – *against/ towards*

Viņi gāja pret sauli.
Tu esi nelaipns pret mani.
Studenti cīnās pret slinkumu.

5. **starp** – *between*

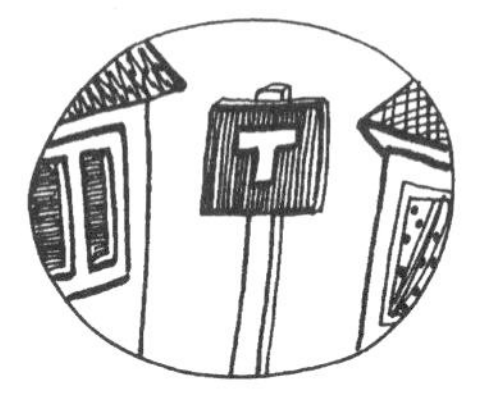

Starp veikalu un kafejnīcu ir pietura.

6. **caur** – *through*

Meitene gāja caur mežu.

7. **pa** – *along, on*

Vai jūs gājāt pa ielu, pa ceļu?
Mēs staigājām pa parku, pa Vecrīgu.

8. **gar** – *along, past, by*

Mēs gājām gar krastu.
Gar ceļa malu aug koki.

9. **uz** – *to* (uz kurieni? *where (to)?*)

Kad jūs iesiet uz universitāti? Vai tu aizbrauci uz Jūrmalu?

10. **ar** - *with*

Viņa raksta ar zīmuli un krītu. *Katru rītu tu brauc ar trolejbusu.* Viņa kopā ar draudzeni gatavojās eksāmenam.

Lietojiet prievārdus!
Use the prepositions.

Es domāju ______ atpūtu. Viņš strādā ______ pārdevēju veikalā. Man garšo saldējums ______ ievārījumu. Šodien mēs iesim ______ teātri. Vispirms viņš pāriet ______ ielu, tad iet ______ ietvi *(sidewalk)*. Mēs cīnāmies ______ slinkumu. Mēs cīnāmies ______ mieru visā pasaulē. Viņi pastaigājās ______ krastmalu. Kaķis skrien ______ māju un ķer peli. Jūs katru dienu braucat ______ upi ______ trolejbusu. Bet vasarās mēs braucam ______ upi ______ laivu. Vai jūs ejat ______ lekciju?

Prievārdu lietojums ar datīvu.
The use of prepositions with the Dative.

1. **līdz** – *till, until, to* Es šeit būšu līdz vakaram. Līdz vakardienai viņš vēl bija Rīgā. Līdz pastam ir trīs kilometri. Cik tālu ir līdz universitātei?

2. **pāri** *(over, above, across)*, **cauri** *(through)*, **pretim, pretī** *(opposite)*, **garām** *(past, by)*, **apkārt** *(around, round, about)*, **līdzi** *(with smb.)*, **līdzās** *(next to, beside, side by side)*, **blakus** *(beside, by the side, next to)*, **pakaļ** *(after, behind)*

Ievietojiet vajadzīgo prievārdu!
Use the correct preposition.

Es braukšu _______ Stūres ielai. Pēc tam es braukšu _____ centru.

Mēs katru dienu braucam _______ Daugavai _______ centram

_______ universitāti. Viņš slimoja _______ jūras slimību, kad

brauca _______ kuģi _______ okeānu. Aizvakar es gāju _______

tiltam kājām, tad izgāju _______ Vecrīgai, apgāju _______ Brīvības

piemineklim, _______ parkam un _______ operai ieraudzīju (ieraudzīt – *to get sight of*) Ekonomikas fakultāti.

Pastāstiet, kāds ir jūsu ikdienas maršruts *(route)*!
Par ko jūs patlaban domājat?
Pastāstiet, kā jūs rūpējaties par savu veselību! Vai jūs no rītiem skrienat?

The reflexive possessive pronoun "**savs, sava**" refers to all persons. It agrees with the noun it qualifies in number and gender. It is declined like an indefinite adjective.

Es lasu **savu** grāmatu *(fem. sg.)*. *I am reading my book.* Es lasu **savas** grāmatas *(fem. pl.)*. *I am reading my books.* Tu gaidi **savus** brāļus *(masc. pl.)*. *You are waiting for your brothers.* Mēs gaidām **savu** brāli *(masc. sg.)*. *We are waiting for our brother.*
Es lasu tavu grāmatu. *I am reading your book.* Tu lasi manu grāmatu. *You are reading my book.*

Lietojiet pareizo piederības vietniekvārdu!
Use the right possessive pronoun.

Vai tu lasi (*my*) _______ grāmatu? Nē, es lasu (*my*) _______ grāmatu.

Vai tu lasi (*my*) _______ grāmatu? Jā, es lasu (*your*) _______ grāmatu.

Es pats/-i (*I myself*) gribu lasīt (*my*) _______ grāmatu. Kur ir (*my*)

_______ grāmata?

*

Piecus gadus vecā Ilzīte kādu dienu mātei jautā:
– Māmiņ, vai katram bērnam ir savs tēvs?
– Protams, meitiņ, jā.

– Bet mēs taču esam trīs bērni – Velga, Dzintra un es. Kur tad ir tie divi pārējie tēvi?***

♦

* – I'm so depressed and I can't get dates, – the 125-kilo man complained to his doctor. I've tried everything to lose weight.
– I think I can help, – said the doctor. – Be dressed and ready to go out tomorrow at 7.a.m.
Next morning a beautiful woman knocked on the man's door.
– If you can catch me, you can have me, – she said, as she took off. He huffed and puffed after her.
This routine went every day for the next five months. The man lost more than 50 kilos and felt confident that he would finally catch the woman the next day. That morning he whipped open his front door and found a 125-kilo woman waiting for him.
– The doctor told me, – she said, – that if I can catch you, I can have you.

** Parents receive a letter from their son who is at a summer holiday camp:
"Everything is o.k. here. The weather is great. I've started to learn boxing. I don't need my new toothbrush any more."

*** One day little five year old Ilze asks her mother:
– Mummy, does every child have its own father?
– Of course, daughter!
– But we're three children – Velga, Dzintra and I. So where are the other two fathers?

Vārdnīca. – Vocabulary.

tilts	bridge
nelaipns	unkind, unfriendly
cīnīties	to struggle, to fight
vēsture	history
krīts	chalk
atpūta	rest
atpūsties (es atpūšos)	to rest
miers	peace
ķert (es ķeru)	to catch
pele	mouse
tālu vai tuvu	far or near

KAS TEV IR, UN KĀ TEV NAV?

- Vai jūs šodien ejat uz Kalniņa lekciju?
- Jā.
- Labāk neejiet! Saka, ka viņa lekcijas ir sliktas.
- Diemžēl man jāiet. Redziet, es esmu Kalniņš.

Ģenitīvs. - The Genitive.

The genitive case generally denotes possession. In English the possessive case is formed by adding – 's to the noun (in sg.) or by adding ' *(apostrophe)* to the noun (in pl.). In Latvian the possessive case precedes the noun it refers to: *tēva māja* – father's house; *koka zars* – branch of a tree.

The genitive endings are:

1. tēv**s**	tēv**a** (*father's*) cepure	tēv**u** (*fathers'*) cepures
2. brāl**is**	brāļ**a** māja	brāļ**u** māja
gulb**is** (*swan*)	gulbj**a** dziesma	gulbj**u** ("Gulbju ezers")
cirv**is**	cirvj**a** kāts (*axe handle, handle of the axe)*	cirvj**u** kāti *(of the axes)*
3. tirg**us**	tirg**us** cena *(market price)*	tirg**u** izpēte *(exploration)*
4. mās**a**	mās**as** *(sister's)* grāmata	mās**u** *(sisters')* grāmatas
5. puķ**e**	puķ**es** kāts	puķ**u** pods *(flowerpot)*
6. ac**s**	ac**s** plakstiņš *(lid)*	ac**u** ārsts

! Note!
The noun after the verb ***nav*** is in the genitive case.

Man *(dat.)* **nav** mās**as** *(gen.)*. *I have no sister.*
Tēvam **nav** darb**a**. *Father has no work.*
Brālim **nav** cirvj**a**. *The brother has no axe.*
Man **nav** lab**as** draudzen**es**, lab**a** draug**a**, lab**u** brāļ**u**, lab**u** mās**u**.

A noun denoting measure, a numeral or an adverb denoting indefinite number (maz – little/few; daudz – much/plenty/a lot/a great/many) agrees with a noun in the genitive.

maz grāmatu – few books
daudz grāmatu – many books
maz naudas – little money
daudz naudas – much money
Maz naudas, maz bēdu. – Little money, few worries.
Cik? – How much, how many?

kilograms cukura – kg of sugar
tonna naftas – ton of oil
desmit bērnu – ten children
koka galds – a wooden table
zīda drēbes – a silk dress
zelta gredzens – a gold ring
kukulis maizes – a loaf of bread

Pievienojiet lietvārdus ģenitīvā!
Add nouns in the genitive to denote the possessor or substance of the following.

... dārzs; ... grāmata; ... cirvis; ... galds; ... gredzens; ... kleita; ... cepure; ... draugs; ... smarža; ... lapa (*leaf*); ... lapa (*sheet*); ... krasts; ... pudeles; ... universitāte; ... fakultāte; ... valdība; ... vēstniecība; ... veikals; ... valoda; ... iela; ... skolotājs

Ievietojiet galotnes!
Add the correct endings.

Tēv- māja ir liel-. Māt-- dārzs ir skaist-. Tur nāk brāļ- draug-. Maiz-- smarža ir lab-. Man- zelt- gredzens ir skaist-. Mums ir daudz naud--. Mums nav dzīvokļ-. Kok-- (lok., *pl.*) ir ābol-. Tie ir kaimiņ- āboli. Es dzīvoju Brīvīb-- ielā. Mums ir lekcijas Raiņ- bulvārī, Aspazij-- bulvārī, Šarlot-- ielā un Visvalž- ielā. Mēs dzīvojam Stūr-- ielā, bet citi studenti dzīvo Bastej- bulvārī. Medicīn-- fakultāt-- studentiem prakse ir Biķerniek- slimnīc-, Rīg-- 1. (pirmajā) slimnīc- un Stradiņ- slimnīc-, bet Ekonomik-- fakultāt-- studenti strādā bank-- un firm--. Rīg- ir skaist- park-, daudz skaist- park-. Daudz laim-- dzimšan-- dienā!

Veidojiet noliegumu!
Change into the negative.

Man ir grāmata. Brālim ir sieva. Man ir laiks. Tēvam ir dārzs. Jurim ir lampa. Tev ir koka galds. Ilzei ir brālis. Jums ir kaķis. Cilvēkiem ir labs garastāvoklis. Dārzniekam ir puķes. Viņam ir labas zināšanas. Šodien tirgū ir banāni un zemenes. Manā dārzā ir gurķi un tomāti.

Attention!

Vienskaitlis (Singular)		**Daudzskaitlis (Plural)**
N. kas?	brālis, cirvis	brāļ**i**, cir**vji**
Ģ. kā?	brā**ļa**, cir**vja**	brāļ**u**, cir**vju**
D. kam?	brālim, cirvim	brāļ**iem**, cir**vjiem**
A. ko?	brāli, cirvi	brāļ**us**, cir**vjus**
L. kur?	brālī, cirvī	brāļ**os**, cir**vjos**
V. –	brāli! cirvi!	brāļ**i**! cir**vji**!

! Iegaumējiet!
Note!
akmens, mēness, rudens, asmens *(blade, edge)*, ūdens un zibens *(lightning)* – change the consonants only in the plural: akmeņi, mēneši, rudeņi, asmeņi, ūdeņi, zibeņi.
The words *viesis, tētis* don't have any consonant changes: *viesi, tēti.*
But:
Pie debesīm ir mēness. Šodien pie debesīm nav mēness.
Tagad ir aprīļa mēnesis. Šī mēneša pēdējā diena ir saulaina. Gadā ir 12 mēneši. Kādi?

Vārdnīca. – Vocabulary.

man jāiet	I must go
kaimiņš	neighbour
garastāvoklis	mood
zināšanas	knowledge

22. NODARBĪBA

MĒS BRAUCAM VIESOS

Tur jau nāk mūsu autobuss. Līst. Mēs, pieci Latvijas Universitātes Medicīnas fakultātes pirmā kursa studenti, braucam viesos pie drauga Jāņa. Drauga mājās mūs sagaida viesmīlīgi. "Nāciet iekšā!" sauc mājasmāte, Jāņa māmiņa. "Jūs taču esat slapji kā zvirbuļi! Nāciet te, pie krāsns! Te ir silts. Drīz būs arī silts ēdiens un karsta tēja. Jūs varat te palikt, kamēr lietus beigsies."
"Liels paldies!" mēs sakām. "Gan jau viss būs kārtībā. Būs labi."
Mājās ir arī mūsu drauga Jāņa māsa Maija, jo viņa pašlaik ir slima. Citādi viņa tagad jau būtu Londonā, kur mācās medicīnas skolā. Kad viņa beigs skolu, viņai būs speciāls sertifikāts, ko nevar iegūt Latvijā. Viņa apgūst speciālu medicīniskās aprūpes programmu.
"Kas tev kaiš?" jautā mans grupas biedrs Ansis, profesionāli, kā nākamais ārsts skatīdamies Maijai acīs.
"Man ir iesnas un klepus. Vakar bija arī neliela temperatūra. Ārā nemaz neeju, bet man jau jābūt skolā. Tur mani gaida," raud Maija.
"Es zinu labu līdzekli pret saaukstēšanos. Dažreiz labi palīdz klepus zāles, bet var lietot arī zāļu tējas," māca cits mans grupas biedrs Andris.

“Es visu laiku daudz dzeru dažādas tējas, bet medus ar pienu, ko tādos gadījumos parasti dzer latvieši, man negaršo,” žēlojas meitene.
“Varbūt tev vajag kādas zāles no aptiekas?” ierosina Anna. “Varbūt gribi, lai izsauc ārstu? Galu galā mēs arī esam nākamie ārsti. Varbūt varam palīdzēt?”
“Nē, nē, tas nav nepieciešami. Es ceru, ka rīt jau būs labāk,” slimniece piebilst.
Krāsnī deg uguns. Te ir ļoti mājīgi. Jāņa māte cienā mūs ar pusdienām. Mēs dzeram tēju un ēdam pīrāgus. Bet vislabāk mums garšo maize ar Latvijas medu. Pēc tam mēs klausāmies mūziku, skatāmies Jāņa tēva videofilmu un klausāmies, ko viņš stāsta par dzīvi Latvijā. Atpakaļ uz Rīgu mēs braucam ar nakts vilcienu. Debesis ir skaidras, spīd zvaigznes. Pie debesīm ir spožs mēness. Rīt noteikti lietus nebūs, kaut gan tagad ir pavasara pirmais mēnesis un laiks ir ļoti lietains.

No rīta mēs vēl guļam, bet Juris jau ir piecēlies un virtuvē gatavo brokastis – vāra putru un kafiju, cep zivis un olas, gatavo sviestmaizes, uzliek uz galda tasītes, šķīvjus, nažus, dakšiņas un karotes.
“Kā jums vakar gāja?” pie brokastu galda viņš jautā, jo vakar bija aizņemts universitātē un nebrauca kopā ar mums pie Jāņa.

"Ļoti labi, žēl tikai, ka bija lietus. Bijām Jūrmalā, bet neredzējām jūru. Tā ir ļoti jauka ģimene, un mums viņi visi patika, bet jo sevišķi mums patika Jāņa māsa Maija, kas ir ne tikai skaista, bet arī gudra meitene. Turklāt viņa labi runā angliski, un mēs mācījām viņu runāt gan vāciski, gan itāliski, gan franciski. Mēs lieliski pavadījām vakaru un mājās atgriezāmies vēlu. Žēl, ka tu nevarēji būt kopā ar mums."
(viesmīlīgi – *hospitably*; slapjš kā zvirbulis – *wet/soaked to the skin*; krāsns – *stove*; iegūt – *to get, to obtain*; apgūt – *to acquire, to master*; medicīniskā aprūpe – *medical care*; iesnas – *cold (in the head);* klepus – *cough*, stiprs klepus – *bad cough*; nemaz – *not at all;* līdzeklis – *means, remedy;* žēloties – *to complain;* par ko jūs žēlojaties? – *what do you complain of?;* cienāt – *to treat, to entertain;* kaut gan – *although;* kā jums gāja? – *how did you spend/what did you do?;* turklāt – *besides, moreover*)

Note:
Nouns with the ending *-e, -s (fem.)* in the nominative singular have a palatalization in the genitive plural (only!).
Piemēram, roze – rožu eļļa; priede – priežu mežs; ziepes – ziepju putas *(suds, lather);* pīle *(duck)* – daudz pīļu; pils – daudz piļu; zivs – zivju zupa; sirds – siržu lauzējs.

!
But!
Izņēmums. Exception.
acs – acu ārsts; auss – ausu ārsts; balss – balsu vairākums *(majority of votes)*; debesis – debesu krāsa; valsts – Baltijas valstu iedzīvotāji; zoss *(goose)* – zosu gans *(goose-herd)*;
mute – mutu; aste – astu; kaste – kastu; pase – pasu; kase – kasu

Prievārdu lietojums ar ģenitīvu.
The use of prepositions with the Genitive.

1. **aiz** – *behind* Aiz loga aug koks. Aiz manis ir siena.
2. **virs** – *above* Virs plaukta ir glezna. Virs galvas ir zila debess.
3. **zem** – *under* Zem galda sēž kaķis. Zem mājas ir pagrabs.

4. **pie** – *at*	Pie veikala stāv ļaudis. Pie slimnīcas ir parks.
5. **no** – *from*	Viņš nāk no universitātes. Viņi ir no Polijas.
6. **pēc** – *after*	Pēc eksāmena mēs atpūšamies. Mēs iesim uz universitāti pēc stundas.
7. **pirms** – *before*	Tas bija pirms gada. Viņa aizgāja pirms tevis.
8. **bez** – *without*	Bez grāmatas ir grūti mācīties.
9. **kopš** – *since*	Viņi dzīvo Latvijā kopš septembra. Kopš vakardienas līst lietus.
10. **uz** – *on*	Grāmatas ir uz galda. (kur? – *where?*)
11. **dēļ** – *for (the sake of)*	Tas ir tikai muļķības dēļ. Manis dēļ nenāc.
12. **priekš** – *for*	Šīs zāles ir priekš difterijas slimnieka.

Ievietojiet vajadzīgo prievārdu!
Fill in the right preposition.

Viņš slimo ________ gripu. ________ Stūres ielai jābrauc ________ tramvaju. Viņi satikās ________ lekcijas un gāja ________ kafejnīcu. ________ auditorijas pulcējas studenti. ________ lekcijas viņi atkārto vingrinājumus. Viņi runā ________ to, cik grūta ir latviešu valoda. Studente iet ________ lekciju, kurā pasniedzējs stāstīs ________ jaunumiem fizikā. Tas ir lektors ________ Tallinas. ________ tam studenti brauks ________ kopmītni. ________ prakses nevar apgūt profesiju. Slimnīca atrodas Pārdaugavā, un tādēļ ir jābrauc ________ tiltu.

Vārdnīca. – Vocabulary.

stipri līst	it is pouring *(with rain)*
kamēr	while
citādi	otherwise
būtu	should be
raudāt	to weep
zāļu tēja	herbal tea
gadījums	case
parasti	usually
ierosināt	to suggest
nepieciešams	necessary

cerēt to hope
piebilst un iebilst ***(es iebilstu)*** to add and to object
pīrāgs pie
krāsnī deg uguns there is a fire in the oven
vilciens train
spīdēt ***(es spīdu)*** to shine
spožs bright
piecelties to get up
putra porridge
taisīt, gatavot to make
jo sevišķi extraordinarily
atgriezties ***(es atgriežos)*** to return
aste tail
kaste box
kase cashbox
fizika physics
gripa influenza, grippe

23. NODARBĪBA

ES JUMS GRIBU PASTĀSTĪT PAR ...

Darbības vārdu lietojiet vajadzīgajā formā!
Use the verb in the correct form.

Es jums gribu pastāstīt par Ritu. Rita (būt) ir latviete. Viņa (dzīvot) dzīvo Rīgā. Agrāk meitene (dzīvot) dzīvoja Jūrmalā un katru dienu (braukt) brauca uz Rīgu ar vilcienu. Tagad viņa (strādāt) strādāja veikalā. Viņai (patikt) patika viņas darbs. Pirms gada viņai (nepatikt) nepatika runāt ar pircējiem, bet tagad viņa ir apmierināta. Pirms darba Rita (vingrot) vingroja un (gatavot) gatavoja brokastis. Viņa (ēst) ēda omleti un (dzert) dzēra pienu. Vai jūs arī (dzert) dzerat pienu? Dažreiz viņa (vārīt) ______ vai (sildīt) ______ kafiju. Pēc darba

Rita (iet) gāja uz parku ar suni. Viņa labprāt (staigāt) staigāja kopā ar suni, arī sunim (patikt) patika staigāt pa parku. Svētdienās viņa (gaidīt) gaidīja autobusu un (braukt) brauca uz Jūrmalu, kur (dzīvot) dzīvoja viņas māmiņa. Tad viņa (strādāt) strādāja dārzā, kopā ar māti (pusdienot) pusdienoja, bet dažreiz viņas arī (ēst) ēda vakariņas kopā.

Darbā Rita (būt) bija deviņos. Viņa (redzēt) redzēja pircējus un (dzirdēt) dzirdēja, ko viņi (runāt) runāja. Kāda sieviete (pirkt) pirka žurnālus un avīzes. Rita (skaitīt) skaitīja naudu. Viņa to (darīt) darīja uzmanīgi, bet (kļūdīties) ________. Viņa vēl tikai (mācīties) ________ strādāt par pārdevēju. Kundze (sacīt) ________ : “Nepareizi!” Rita (skaitīt) ________ vēlreiz un tad (atbildēt) ________ : “Piedodiet, lūdzu, es tūlīt jums (izdot) ________ pareizi!” Pēc tam viņa (jautāt) ________ : “Sakiet, lūdzu, vai jums ir sīknauda *(small change)*?” Kundze (iedot) ________ sīknaudu, bet Rita (sacīt) ________ : “Uz redzēšanos! Es (cerēt) ________, ka rīt (redzēt) ________ jūs atkal. Parīt gan mēs (nestrādāt) ________!”

Parīt (būt) ________ brīvdiena, jo tad ir svētki. Rita (gribēt) ________ apciemot vecmāmiņu. Viņa (domāt) ________, ka (varēt) ________ aizbraukt arī uz Jūrmalu, kur viņu (gaidīt) ________ vecāki. Varbūt tad viņi (aiziet) ________ uz mežu, jo visi ģimenē (būt) ________ lieli dabas mīļotāji. Rudenī viņi parasti (ogot) ________ un (sēņot) ________, ziemā (slēpot) ________, bet pavasarī un vasarā (elpot) ________ svaigu gaisu, jo mežs ir planētas plaušas. Starp citu, arī sunim (patikt) ________ meklēt mežā sēnes. Kad viņš (redzēt) ________ sēni, viņš (sacīt) ________ : “Vau! Vau! Te tā ir.”

Atbildiet uz jautājumiem!
Answer the questions.

Kur Rita strādā? Kā jūs domājat, vai Rita ir precējusies? Kur dzīvo Ritas vecāki? Kāpēc parīt Rita nestrādās? Kādus svētkus jūs zināt? Kāds ir Ritas vaļasprieks/hobijs? Kā jūs domājat, vai Rita ir laba darbiniece? Ko viņa dara no rītiem? Kā jūs domājat, cik gadu ir Ritai? Ko viņa dara svētdienās? Kā viņa pavada *(to spend)* brīvo laiku? Kur jūs pērkat žurnālus? Vai jums vienmēr ir sīknauda? Ko jūs darāt, kad sīknaudas nav? (mainīt – *to change*)

Pastāstiet par kādu savu darbdienu un svētdienu!
Tell about your working day and Sunday.

Cikos jūs ceļaties?

Vai jūs vingrojat no rītiem?

Kur jūs brokastojat?
Ko jūs parasti ēdat un dzerat brokastīs?

Ko vēl jūs darāt no rīta, kamēr esat mājās?

Cik ilgi jūs braucat līdz centram?
Cikos sākas lekcijas? Cik lekciju jums ir katru dienu? Kādas tās ir? Kur ir šīs lekcijas?
Ko jūs darāt pēc lekcijām?

Darbības vārds.
The Verb.

1. konjugācija

(Infinitīvs – Tagadne – Pagātne – Nākotne)		
augt – es augu – augu – augšu		*to grow*
tu au**dz** – augi – augsi	**(g-dz)**	
viņš/viņa aug – auga – augs		
mēs augam – augām – augsim		
jūs augat – augāt – augsit/augsiet		
viņi/viņas aug – auga – augs		
sākt – es sāku – sāku – sākšu		*to begin, to start*
tu sā**c**	**(k-c)**	
me**st** – es metu – metu – metīšu	**(e-e)**	*to throw, to cast*
ē**st** – es **ē**du – ēdu – ēdīšu	**e-[æ]**	
ne**st** – es n**e**su – nesu – nesīšu		*to carry*
ve**st** – es v**e**du – vedu – vedīšu		*to lead, to guide*
ņemt – es ņ**e**mu – ņēmu – ņemšu		*to take*
cept – es c**e**pu – cepu – cepšu		*to roast, to fry, to bake*
bēgt – es b**ē**gu – bēgu – bēgšu (tu bēdz)		*to flee, to run away*
dzert – es dzeru – dzēru – dzeršu	**(r-ŗ)**	*
bērt – es beru – bēru – bēršu		*to pour, to strew*
ķert – es ķeru – ķēru – ķeršu		*to catch, to strike*
celt – es ceļu – cēlu – celšu	**(l-ļ)**	*to lift, to raise*
celties – es ceļos – cēlos – celšos		*to rise, to get up*
tu celies – cēlies – celsies		
viņš/viņa ceļas – cēlās – celsies		
mēs ceļamies – cēlāmies – celsimies		
jūs ceļaties – cēlāties – celsities/celsieties		

Lietojiet darbības vārdu pareizajā formā!
Put the verb in the correct form.

Katru rītu es (celties) ______________ agri, bet šorīt (piecelties) ______________ vēlāk nekā parasti. Cikos jūs parasti (celties) ______________ ? Cikos jūs (celties) ______________ nākamajā svētdienā? Manas lekcijas parasti (sākties) ______________ 8.30, bet

* (This letter has been deleted from the Latvian alphabet and occurs in pronunciation only.)

vakar (sākties) ______________ tikai 10.30. Brokastis es vienmēr (ēst) __________ mājās, bet vakar (ēst) __________ universitātes kafejnīcā. Es tur (paņemt) ____________ glāzi sulas, smalkmaizītes un uz paplātes *(tray)* (aiznest) ____________ līdz galdam. Mājās es parasti no rītiem (cept) __________ omleti, kurai (uzbērt) __________ sāli. Es (dzert) __________ tēju, kurai (piebērt) ___________ divas tējkarotes cukura. Man garšo salda tēja.

Vakar es (ēst) __________ desu, bet man pie kājām (sēdēt) __________ kaķis. Es (nomest) ____________ gabalu desas kaķim, kas (noķert) __________ to un (aizbēgt) ____________. Kaķis laikam *(probably)* (aiznest) ____________________ desu saviem bērniem, kas (dzīvot) ________________ pagrabā. Kaķēniem *(kittens)* ir bail, un viņi (bēgt) ___________ no cilvēkiem.

Rīt mēs (celties) _____________ agri un kopā (ēst) _____________ brokastis, jo (braukt) _______________ viesos. Mēs (ņemt) __________ mugursomu *(kit-bag)* un (nest) __________ to visi pēc kārtas *(in turn)*, jo tā ir smaga *(heavy)*.

Vārdnīca. – Vocabulary.

apmierināt	to satisfy
suns	dog
pirkt ***(es pērku)***	to buy
uzmanīgi	carefully
kļūdīties	to be mistaken, to be wrong
nepareizi	wrong, incorrect
vēlreiz	once more
elpot	to breathe
svaigs gaiss	fresh air
planēta	planet
plaušas	lungs
starp citu	by the way

MANS DRAUGS VAI MANA DRAUDZENE

Pastāstiet par savu draugu vai draudzeni, izmantojot šādus jautājumus!
Tell about your friend answering the following questions.

Kā sauc jūsu draugu vai draudzeni?
Kas viņš/viņa ir? No kurienes viņš/viņa ir? Kas ir viņa/viņas dzimtene?
Ko viņš/viņa dara? Kur strādā? Kur mācās?
Kur viņš/viņa dzīvo? Vai bieži ejat pie viņa/viņas viesos?
Kāds/kāda ir jūsu draugs/draudzene?
(*Use:* liels, mazs, īss, garš, vidēja auguma; kādi ir mati, kādas ir acis, kāda ir mute, kāds ir deguns; vai viņš ir jauks, simpātisks, glīts; vai viņš ir precējies, vai viņa ir precējusies.)
Vai viņš ir labs draugs? Vai viņa ir laba draudzene?
(Vai jūs bieži esat kopā? Vai jūs bieži viņam/viņai zvanāt? Kāds ir viņa/viņas telefona numurs?)
Vai jūsu draugam/draudzenei ir ģimene?
(Cik liela ir ģimene? Vai viņam/viņai ir tēvs, māte, māsa, brālis, vecvecāki, tēvocis, tante, krusttēvs, krustmāte, citi radinieki? Vai viņam/viņai ir daudz draugu, draudzeņu, paziņu, radinieku, brālēnu, māsīcu, kaimiņu?)
Kas viņam/viņai patīk? Kas nepatīk?
Kas garšo un kas negaršo?
Kāds ir viņa/viņas vaļasprieks/hobijs?
Ar kādu sporta veidu viņš/viņa nodarbojas (nodarboties ar sportu – *to go in for sport*)?
Kādu mūzikas instrumentu viņš/viņa spēlē? Kādu mūziku klausās?
Kas jums ir kopīgs *(common)* un kas atšķirīgs *(different)*?
Vai jums ir vienāda *(identical, the same as)* gaume?

Jautājumi. – Questions.

KAS?	Kas viņš (viņa, viņi, viņas) ir?	*Who is he (she)? What is he? Who are they? What are they?*
	Kas tas (tā, tie, tās) ir?	*What is that? What are these (those)?*
	Kas runā?	*Who is speaking?*
	Kas noticis?	*What has happened?*
	Kas notiek?	*What is happening? What is going on?*
KĀ?	Kā nav?	*What is missing? What isn't here?*

	Kā darbs tas ir?	*Whose work is it?*
	Kā, lūdzu?	*What, please? Sorry? What did you say?*
	Kā klājas (kā iet)?	*How are you getting on?*
	Kā jūs sauc?	*What is your name?*
	Kā jūs domājat?	*What do you think? What do you mean?*
KAM?	Kam tu zvani?	*Whom are you phoning (calling)?*
	Kam ir biļete?	*Who has a ticket?*
	Kam pieder šī soma?	*Whose bag is it?*
KO?	Ko jūs vēlaties?	*What would you like?*
	Ko tu dari (jūs darāt)?	*What are you doing?*
AR KO?	Ar ko jūs nodarbojaties?	*What is your profession? What is your hobby?*
	Ar ko tu brauc uz darbu?	*How do you get to your work?*
	Ar ko kopā tu brauc uz darbu?	*With whom do you go to your work?*
	Ar ko jūs runājat?	*Who are you talking to?*
	Ar ko viņš slimo?	*What is his disease (illness)?*
PAR KO?	Par ko jūs strādājat?	*What is your speciality/ occupation?*
	Par ko tu domā?	*What are you thinking about/ of?*
	Par ko jūs runājat?	*What are you speaking about?*
KUR?	Kur atrodas ...?	*Where is ... ?*
	Kur jūs dzīvojat?	*Where do you live?*
	Kur jūs strādājat?	*Where do you work?*
KAD?	Kad jūs esat dzimis?	*When were you born?*
	Kad man jāsāk strādāt?	*When must I start my work?*
CIKOS?	Cikos sāksies koncerts?	*At what time will the concert begin?*
CIK?	Cik tas maksā?	*How much does it cost?*
	Cik ir pulkstenis?	*What time is it now?*
	Cik tālu tas ir?	*How far is it?*
	Cik ilgi?	*How long (is it)?*
	Cik bieži?	*How often?*
KĀPĒC?	Kāpēc jūs nokavējāt?	*Why are you late?*
KĀDĒĻ?	Kādēļ viņš nenāk?	*Why doesn't he come?*
KĀDA?	Kāda ir jūsu māja?	*What is your house like?*
KĀDS?	Kāds laiks būs rīt?	*What will the weather be like tomorrow?*

KURŠ?	Kurš ir pirmais?	*Who is the first?*
KURA?	Kura ir pirmā?	*Who is the first?*
VAI ...?	Vai drīkst?	*May I take? Can I take? Might I?*
	Vai jūs zināt, ka ...?	*Do you know (that) ...?*
	Vai tēvs ir mājās?	*Is your father at home?*
	Vai viņi ir ...?	*Are they ...?*
	Vai tev ir brālis?	*Have you got a brother? Do you have a brother?*

Veidojiet jautājumus!
Make questions.

Šodien *Ausma* istabā *raksta* vēstuli Jāņa draugam.
Kas šodien raksta vēstuli Jāņa draugam? Ausma.
Ko dara Ausma? Ausma raksta vēstuli Jāņa draugam.
Kad Ausma raksta vēstuli Jāņa draugam? Šodien.
Kur šodien Ausma raksta vēstuli Jāņa draugam? Istabā.
Kam šodien Ausma istabā raksta vēstuli? Jāņa draugam.
Kā (kādam) draugam šodien Ausma istabā raksta vēstuli? Jāņa.

25. NODARBĪBA

KO JŪS ESAT IZDARĪJIS/-USI?

Vienkāršā pagātne. – Simple Past.

Ko jūs darījāt vakar?
Es **ēdu** kūku un **dzēru** limonādi, **sastapos** ar draugiem, **spēlēju** klavieres un **ciemojos** pie vecākiem, **lasīju** grāmatu un **mācījos** latviešu valodu, **gāju** uz izstādi un **atcerējos** savu bērnību un **mēģināju** uzrakstīt vēstuli bērnības draugam.

Saliktā tagadne. – Present Perfect.

to be (Present Simple) + Past Participle

		Vīr. dz. *(masc.)*	**Siev. dz.** *(fem.)*
būt *(tag.)* +	viensk. *(sg.)*	-is -ies	-usi -usies
	daudzsk. *(pl.)*	-uši -ušies	-ušas -ušās

Es esmu (neesmu)	ēd-	lasīj-
Tu esi (neesi)	dzēr-	mācīj-
Viņš, viņa ir (nav)	sastap-	gāj-
Mēs esam (neesam)	spēlēj-	atcerēj-
Jūs esat (neesat)	ciemoj-	mēģināj-
Viņi/-as ir (nav)	mazgāj-	

! Note:

Tikties: es tikos; es **esmu tikusies**; viņa **ir tikusies**; viņš **ir ticies** k→c
Augt: es augu; es **esmu augusi**; viņa **ir augusi**; viņš **ir audzis** g→dz

Studente ir bijusi Tallinā *(has been).* Vai tu arī esi bijis(-usi) Tallinā?
Viņi šodien ir satikušies *(have met).*
Mēs neesam jūs redzējuši kopš janvāra. *(We have not seen you since January.)*
Vai jūs esat kādreiz redzējušies? *(Have you ever met?)*
Es esmu rakstījis, uzrakstījis; rakstījusi, uzrakstījusi *(I have written).*
Es neesmu rakstījis ... *(I have not written).*
Vai tu esi rakstījis? *(Have you written?)*
Students bija uzrakstījis *(he had written)* vingrinājumus, pirms viņa māte pārnāca mājās *(came home).*
Līdz rītam students būs uzrakstījis *(will have written)* vingrinājumus.

Atbildiet uz jautājumiem!
Answer the questions.

Kur jūs esat dzimis(-usi)? Kur jūs esat mācījies(-usies)? Kad jūs esat beidzis(-usi) skolu? Ko jūs esat redzējis(-usi) Rīgā? Ar ko jūs esat saticies (satikusies) šeit? Vai jūs esat kādreiz bijis (-usi) Siguldā? Vai jūs esat šeit uzzinājuši kaut ko jaunu? Kāds jums šeit ir bijis interesantākais piedzīvojums? Kur jūs esat Rīgā mācījušies? Kur jūs esat Latvijā bijuši?

Veidojiet salikto laiku!
Use the perfect tense.

Pērn mani vecāki bija Somijā. Mana draudzene aizbrauca uz Poliju. Viņa tur apprecējās. Gadu viņš dzīvoja Indijā. Rakstnieks daudz strādāja, un rezultātā radās (rasties – *to appear)* interesants darbs. Mēs lasījām šo darbu ar lielu interesi. Jūs bieži klausījāties šo mūziku. Bet vai jūs noskatījāties jauno filmu? Kad lekcijas beidzās, viņi gāja uz mājām. Kad eksāmeni beigsies, mēs arī brauksim uz mājām. Es šeit apmeklēju dažādas lekcijas. Tu guvi (gūt – *to get)* labu pieredzi. Es nemaz neatpūtos. Vai jūs redzējāt šo izstādi? Lekcija nesen sākās. Nodarbība jau beidzās.

Pastāstiet, ko jūs esat izdarījis/-usi, paveicis/-kusi šo latviešu valodas nodarbību laikā, kā jūs esat strādājis/-usi un kādus rezultātus guvis/-usi!
Tell what you have accomplished during your Latvian lessons, how you have worked and what results you have achieved.

Lasiet un mēģiniet pastāstīt!
Read and try to retell.

Šovasar Jānītis ciemojās pie vectētiņa laukos.
– Saki nu, mazdēliņ, kā tev iet ar angļu valodu skolā?
– Man ir panākumi, vectētiņ. Es jau protu angliski pateikt "lūdzu" un "paldies".
– Lieliski, puika, lieliski. Tas ir vairāk, nekā tu māki (proti) latviski.

– Es jau sen sapņoju apmeklēt tālas zemes. Interesanti, cik maksā ceļojums pa Eiropu?
– Neko!
– Neko?
– Nu jā! Sapņot jau var bez maksas!

– Ko jūs vakar dzirdējāt operā?
– Ai, daudz ko! Šmits ir tuvu bankrotam. Brauna kundze ir nokrāsojusi matus, bet Vaiti šķiras.

– Tomas, pasaki man, kā sauc cilvēku, kas runā un turpina runāt pat tad, kad neviens viņā neklausās?
– Skolotāja kungs, tas ir skolotājs!

Pircējs ieiet zooveikala putnu nodaļā, nostājas pie papagaiļa būra un zobgalīgi saka:
– Nu, putniņ, varbūt tu proti arī runāt?
– Protams! – lepni atbild papagailis. – Un ko tu? Varbūt proti arī lidot?

Ir priekšsvētku diena. Skolotāja stundas beigās saka:
– Novēlu visiem priecīgus svētkus un ceru, ka pēc brīvdienām jūs atgriezīsities skolā daudz gudrāki.
– Jums tāpat, skolotāj! – skolēni atsaucas.

This summer little Johnny visited his grandfather in the country.
– Tell me now, grandson, how you are getting on with your English at school?
– I've made some progress, granddad. I can already say "please" and "thank you" in English.
– Excellent, lad, excellent. That's more than you can say in Latvian.

– For a long time I've dreamed of visiting distant lands. It's interesting to know how much a tour around Europe costs?
– Nothing!
– Nothing?
– Of course! You can dream without paying anything!

– What did you hear at the opera last night?
– Oh, lots of things. Smith has almost gone bankrupt. Miss Brown has dyed her hair, but the Whites have divorced.

– Thomas, tell me what a person is called who talks, and keeps on talking, even when no one is listening!
– Sir – that's a teacher!

A shopper enters the bird department of a pet shop, stops near a parrot's cage and scoffingly says:
– Well little bird, maybe you can talk, too?
– Of course! – the parrot replies proudly. – And what about you? Maybe you can fly, too?

It's the day before the holidays. At the end of the classes the teacher says:

– I wish you happy holidays and hope that after the holidays you'll return to school much wiser.
– The same to you, teacher! – the pupils answer.

Vārdnīca. – Vocabulary.

sastapties (es sastopos)	to meet
(sa)tikties (es satiekos)	to meet
izstāde	exhibition
atcerēties (es atceros)	to remember
bērnība	childhood
mēģināt	to try
piedzīvojums	adventure

PIELIKUMS

Lietvārdu galotnes. – The endings of the nouns.

Viensk.	1. d.	2. d.	3. d.	4. d.	5. d.	6. d.
N. kas?	-s, -š	-is	-us	-a	-e	-s
Ģ. kā?	-a	-a*	-us	-as	-es	-s
D. kam?	-am	-im	-um	-ai	-ei	-ij
A. ko?	-u	-i	-u	-u	-i	-i
L. kur?	-ā	-ī	-ū	-ā	-ē	-ī
V. –	(-s, -š)	(-i)	-u	(-a)	(-e)	-s

Daudzsk.	1. d.	2. d.	3. d.	4. d.	5. d.	6. d.
N. kas?	-i	-i*	-i	-as	-es	-is
Ģ. kā?	-u	-u*	-u	-u	-u*	-u*
D. kam?	-iem	-iem*	-iem	-ām	-ēm	-īm
A. ko?	-us	-us*	-us	-as	-es	-is
L. kur?	-os	-os*	-os	-ās	-ēs	-īs
V. –	-i	-i*	-i	-as	-es	-is

* Līdzskaņu mija.
Palatalization.

! **Atcerieties!**
Keep in mind!

2. dekl.: a) akmens, asmens, mēness, rudens, ūdens, zibens;
b) suns; c) tētis, viesis – *without interchange*

3. dekl.: alus, tirgus, lietus, ledus, medus, vidus, apvidus *(district, locality)*, viltus *(cunning)*

4. dekl.: pļāpa *(chatterbox)*, paziņa *(acquaintance)*, puika, lauva *(lion)*

5. dekl.: mute, aste, kaste, pase, ārste, kase – *without interchange*

6. dekl.: a) asins, sirds, krūts *(breast)*, nāss *(nostril)*, cilts *(tribe)*, govs, zivs, nakts, pils, plīts, krāsns, uguns, smilts *(sand)*, klints *(cliff, rock)*, telts *(tent)*, kārts *(card; pole)*, durvis *(pl.)*, ļaudis *(masc. pl.)*
b) acs, uzacs *(eyebrow)*, auss, balss, debess, pirts *(bath-house)*, valsts, zoss, žults *(gall, bile)*, vēsts *(news, message)*, brokastis *(pl.)* – *without interchange*

Prievārdu lietojums ar lietvārdu datīvā (daudzsk.).
The use of prepositions with the Dative (pl.).

1. **aiz** - *behind*	Aiz logiem aug koki. Aiz mājām ir dārzi. Aiz mums ir siena. Aiz viņiem sēž meitene.
2. **virs** - *above*	Virs plauktiem ir glezna. Virs jums ir debesis.
3. **zem** - *under*	Zem galdiem ir soli. Zem mājām ir pagrabi.
4. **pie** - *at*	Pie auditorijām pulcējas studenti.
5. **no** - *from*	Es nāku no viesībām.
6. **pēc** - *after*	Pēc eksāmeniem viņi atpūtās. Pēc lekcijām mēs iesim mājās.
7. **bez** - *without*	Bez grāmatām dzīvot ir garlaicīgi *(boring, dull).*
8. **kopš** - *since*	Mēs dzīvojam šeit kopš seniem laikiem.
9. **pirms** - *before*	Tas bija pirms eksāmeniem. Pirms lekcijām es devos uz bibliotēku.
10. **uz** - *on*	Grāmatas ir uz galdiem.
11. **uz** - *to*	Mēs ejam uz lekcijām.
12. **līdz** - *till, by, to*	Es šeit būšu līdz pieciem. Līdz mājām bija divi kilometri.
13. **ap** - *around*	Ap mājām ir žogi *(fence, hedge).*
14. **pār** - *above, across*	Pār upēm ir tilti.
15. **par** - *about*	Mēs runājam par lekcijām, par rakstiem avīzēs.
16. **pret** - *to*	Tu esi nelaipns ne tikai pret mums, bet arī pret citiem cilvēkiem.
17. **starp** - *between, among*	Starp mājām ir liels laukums. Starp studentiem valda saticība *(harmony).*
18. **caur** - *through*	Puika izlīda caur krūmiem.
19. **gar** - *along, past*	Viņš gāja gar skatlogiem *(shop window).*
20. **pa** - *along*	Vai jūs gājāt pa laukiem, pa ielām, pa ceļiem, pa mežiem, pa pļavām?
21. **ar** - *with*	Studenti raksta ar pildspalvām. Meitenes atnāca kopā ar draugiem, bet zēni - ar draudzenēm.

Īpašības vārdu salīdzināmās pakāpes.
Comparison of adjectives.

-āks vis...-ākais
-āka vis...-ākā

Mana grāmata ir liela, bet tava – daudz lielāka. *My book is large, but yours is much larger.*

Pamata pakāpe **Positive degree**	**Pārākā pakāpe** **Comparative degree**
labs *(good), labais*	lab**āk**s *(better)*,lab**āk**ais *(the better)*
maza *(small), mazais*	maz**āk**a *(smaller)*,maz**āk**ā *(the smaller)*

Tava istaba ir maza, bet mana ir vēl mazāka. *Your room is small but mine is smaller.*

Brālis ir vecāks **par māsu**. *The brother is older than the sister.*
(par + Akuz.)
Brālis ir vecāks **nekā māsa**. (*nekā + Nom.)*

Vispārākā pakāpe
Superlative degree

vislab**ākais** *(the best)*
vismaz**ākais** *(the smallest)*

vis + labākais (the best)
vislabākā

pats labākais *(the very best)*
pati labākā

Tas bija vissaldākais ābols. *It was the sweetest apple.*
Tā ir mana vislabākā draudzene. Tā ir mana pati labākā draudzene.
She is my best friend.

Apstākļa vārdu salīdzināmās pakāpes.
Comparison of adverbs.

-āk, vis...-āk

labi – lab**āk** – vislab**āk**
Es mācos labi, Ivars mācās labāk par mani, bet Aina mācās vislabāk.
Labāk zīle rokā nekā mednis kokā. *(Proverb: A bird in the hand is worth two in the bush. Lit.: A titmouse in the hand is better than a grouse in the tree.)*

! Iegaumējiet!
Note!

maz – mazāk – vismazāk
daudz – vairāk – visvairāk

Darbības vārds. - The Verb.

1. konjugācija. - Conjugation 1.

The verbs of the first conjugation are divided into five groups.

1. grupa. - Group 1.

The stem vowel remains unchanged.

Infinitīvs	Tagadne	Pagātne	
augt *(to grow)*	es **au**gu	es **au**gu	
	tu audz	tu augi	**g→dz**
b**ē**gt *(to flee)*	es b**ē**gu [æ]	es b**ē**gu	
	tu b**ē**dz	tu b**ē**gi	
	viņš/viņa b**ē**g	viņš/viņa b**ē**ga	
n**ā**kt *(to come)*	es n**ā**ku	es n**ā**cu	**k→c**
	tu n**ā**c	tu n**ā**ci	
s**i**st *(to beat)*	es s**i**tu	es s**i**tu	
	tu s**i**t	tu s**i**ti	
c**e**pt *(to roast, to fry)*	es c**e**pu	es c**e**pu	
	tu c**e**p	tu c**e**pi	
ēst *(to eat)*	es **ē**du	es **ē**du	
	tu ēd	tu **ē**di	
m**e**st *(to throw, to cast)*	es m**ę**tu	es m**e**tu	
	tu met	tu m**e**ti	

2. grupa. - Group 2.

The stem vowel -i- is *changed to -e-, -ē- or -ie- in the present tense.*

Infinitīvs	Tagadne	Pagātne	
c**i**rst *(to cut, to chop)*	es c**ē**rtu [æ]	es c**i**rtu	**i→ē**
	tu c**ē**rt	tu c**i**rti	
l**i**kt *(tu put, to bid)*	es l**ie**ku	es l**i**ku	**i→ie**
	tu l**iec**	tu l**i**ki	
	viņš/viņa l**iek**	viņš/viņa l**i**ka	
v**i**lkt *(to pull, to drag)*	es v**e**lku [æ]	es v**i**lku	**i→e**
	tu v**e**lc	tu v**i**lki	
p**i**rkt *(to buy)*	es p**ē**rku	es p**i**rku	
	tu p**ē**rc	tu p**i**rki	
	viņš/viņa p**ē**rk [æ]	viņš/viņa p**i**rka	

3. grupa. – Group 3.

r**a**kt *(to dig)*	es r**o**ku	es r**a**ku	**a–o**
	tu r**o**c	tu r**a**ki	
skr**ie**t*(to run)*	es skr**ien**u	es skr**ē**ju	**ie–ien**
kr**i**st *(to fall)*	es kr**ī**tu	es kr**i**tu	**i–ī**
	tu kr**ī**ti	tu kr**i**ti	
	viņš/viņa kr**ī**t	viņš/viņa kr**i**ta	
j**u**st *(to feel)*	es j**ū**tu	es j**u**tu	**u–ū**
	tu j**ū**ti	tu j**u**ti	
	viņš/viņa j**ū**t	viņš/viņa j**u**ta	
pr**a**st *(to know how)*			
t**a**pt *(to become)*			

4. grupa. – Group 4.

glā**b**t *(to save)*	es glā**bj**u	es glā**b**u
	tu glāb	tu glābi
	viņš/viņa glā**bj**	viņš/viņa glāba
ko**s**t *(to bite)*	es ko**ž**u	es ko**d**u
	tu ko**d**	tu kodi
	viņš/viņa ko**ž**	viņš/viņa ko**d**a
lau**z**t *(to break)*	es lau**ž**u	es lauzu
	tu lau**z**	tu lau**z**i
	viņš/viņa lau**ž**	viņš/viņa lau**z**a
cie**s**t *(to suffer)*	es cie**š**u	es cie**t**u
	tu cie**t**	tu cie**t**i
	viņš/viņa cie**š**	viņš/viņa cie**t**a
tei**kt** *(to say)*	es tei**c**u	es tei**c**u
brau**kt** *(to go, to drive)*	es brau**c**u	es brau**c**u
bei**gt** *(to finish)*	es bei**dz**u	es bei**dz**u
	tu bei**dz**	tu bei**dz**i
krā**t** *(to collect, to save)*	es krā**j**u	es krā**j**u
	tu krā**j**	tu krā**j**i
spē**t** *(to be able)*	es spē**j**u	es spē**j**u

5. grupa. – Group 5.

lū**z**t *(to break)*	es lū**st**u	es lū**z**u
	tu lū**s**ti	tu lū**z**i
lī**t** *(to rain, to pour)*	lī**s**t *(it rains)*	li**j**a *(it rained)*
sal**t** *(to freeze)*	es sal**st**u *(I am freezing)*	es sa**l**u

	(Man salst. – *I am cold.* Salst. – It is cold.)	
kļū**t** *(to become)*	es kļū**s**tu	es kļu**v**u
mir**t** *(to die)*	es mir**s**tu	es (no)mi**r**u

Veidojiet teikumus!
Make sentences.

kāpt *(to climb)*, slēpt *(to hide)*, kopt *(to nurse)*, glābt *(to save)*, ģērbt *(to dress)*, ciest *(to suffer)*, grūst *(to push)*, kost *(to bite)*, sēsties *(to sit down)*, spriest *(to judge)*, sviest *(to throw)*, braukt *(to go)*, jaukt *(to mix)*, lēkt *(to jump)*, saukt *(to call)*, teikt *(to tell)*, veikt *(to accomplish)*, beigt *(to finish)*, kliegt *(to shout)*, lūgt *(to beg)*, segt *(to cover)*, sniegt *(to hand)*, plēst *(to tear)*, bāzt *(to thrust)*, gāzt *(to overturn)*, lauzt *(to break)*, bērt *(to strew)*, dzert *(to drink)*, ķert *(to catch)*, velt *(to roll)*, celt *(to lift)*, skūt *(to shave)*, šūt *(to sew)*, jāt *(to ride)*, krāt *(to keep, to save)*, rāt *(to scold)*, spēt *(to be able)*, celties *(to get up, to rise)*.

Asja Svarinska
LATVIEŠU VALODA
Mācību kurss 25 nodarbībām

7. izdevums

Apgāds Zvaigzne ABC, SIA, K. Valdemāra ielā 6, Rīgā,
LV-1010. Red. nr. V-251.
A/s "Poligrāfists", K. Valdemāra ielā 6, Rīgā, LV-1010.

The Short Story Writer's Toolshed

About Della Galton

Della Galton is a freelance writer and tutor. She is best known for her short stories, and sells in the region of 80 short stories a year to magazines both in the UK and abroad.

She is a popular speaker at writing conventions around the UK and is also the agony aunt for Writers' Forum.

When she is not writing she enjoys walking her dogs in the beautiful Dorset countryside where she lives. Her hobby is repairing old cottages, which is lucky as hers is falling down.

Find out more about Della, her books, and her speaking engagements at DellaGalton.co.uk

The Short Story Writer's Toolshed

Your Quick Read, Straight-To-The-Point Guide To Writing & Selling Short Fiction

Della Galton

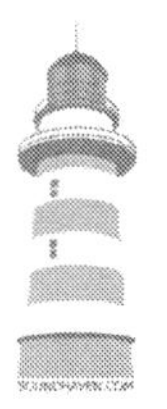

www.soundhaven.com

Published 2013 in Great Britain,
by soundhaven.com limited
http://www.soundhaven.com

Please visit
www.dellagalton.co.uk
for contact details

ISBN: 978-1492950189

British Cataloguing Publication data:
A catalogue record of this book is available from the British Library

This book is also available as an ebook.
Please visit
www.dellagalton.co.uk
for more details.

For Liz Smith, who has been a wonderful source of help and inspiration with so many of my short stories.
With love and thanks
Della

For Sheila:
with very best wishes,
Della Galton x

Contents

Introduction

The Short Story Writer's Toolshed was originally written as a series for Writers' Forum Magazine. This paperback version has been amended and updated. It is intended to be a quick guide for the writer who doesn't want to wade through a lengthy tome. It complements my more comprehensive guide, How to Write and Sell Short Stories, published by Accent Press.

How The Toolshed Works

Every writer has certain tools at their disposal. We all in fact use the same tools when it comes to writing short stories, but we're not necessarily that adept when we set out. This book is a little like an instruction manual, which I'm hoping might save you some time.

So, what exactly do we have in our toolshed? Well this particular toolshed is divided into shelves and on the shelves you will find the following tools:

Shelf one: ideas and getting started; shelf two: plot; shelf three: characters and viewpoint; shelf four: dialogue; shelf five: structure; shelf six: time span, pace and theme; shelf seven: flashback; shelf eight: cutting and editing; shelf nine: putting it all together; shelf ten rejection and motivation.

If you like you can work through the entire toolshed, or you might prefer to go straight to the relevant shelf. But to begin let me take you on a whistle-stop tour of the toolshed. Let's examine what a short story actually is, as well as having a quick look at some of the available tools.

A Look Around The Toolshed

What is a short story?

This might seem like an odd question to ask writers. We all know what a short story is, don't we? It's a story that's short; it's less than the length of a novel; it has a beginning, middle and end and gives the reader the chance to spend a brief time with some interesting characters. Simple enough, you might think. But actually no, it's not that simple at all.

It's shorter than a novel, yes, but there's so much more to writing a successful short story than size. The techniques used, the tools if you like, are exactly the same as the tools for writing a novel. Except they are used differently!

In this book which I hope will be useful to both beginners and more experienced writers alike we will look at how to use the tools we have at our disposal.

We will look at not just what makes a story work, but also examine the reasons why some stories which on the surface have all the right ingredients don't work.

To my mind, writing a short story is like painting in miniature. It should have all the depth and colour that a full size canvas allows, but there is no room for waffle. Don't make the mistake of thinking they are easy to write. Many successful novelists will tell you that short stories are one of the hardest forms of writing. They are a craft.

Length

The length of a short story changes with the fashion. If you are writing to sell, then your market will dictate what length you should aim for, be it magazine or podcast or radio. If you are writing for a competition then the rules will dictate the length. Even if you are writing for your own pleasure and have no desire to see your work in print, it is wise to set yourself a word limit. This is because length is relevant to the elements of a short story. For example, you'll have trouble writing a story of 1000 or 2000 words if you have a cast of ten or twelve characters.

They've got shorter than they used to be. A quick search of the internet will reveal short story competitions that start with a length as short as 60 words. In fact, I even found one which had a word limit of 6 words. But most short story competitions these days have a maximum word length of around 5000 and this is probably on the long side. The vast majority of competitions ask for short stories of between 1000 and 3000 words.

Magazine lengths are similar. Podcasts may go a bit longer. So even if you are not setting out to place your work, then it might be as well to limit yourself to a saleable length just so you can get into the feel of writing something shorter. If you find your stories feel stretched at 3000 words then you might want to reduce it, but the best way to find out is to write a few. See if the pace suits you. Find the length you are comfortable with and then stick to it until you feel you have mastered the art of fitting your plot and characters into that space.

Characters

You won't have room for dozens of characters. In my experience one or two main characters are usually enough. You may of course need supporting characters, but look at them as bit part characters who don't necessarily need to be fully developed or even named. That doesn't mean they should be stereotypes. There are many ways of making minor characters spring to life with very few words.

We will look at this in more detail when we get to characterisation. Your main character or characters must be fully developed though. If they are not the reader won't care about them. If she doesn't care about them and cannot emotionally engage with them, there's a good chance she won't read on.

Interestingly, to return to the subject of length for a moment, when I first started writing stories longer than 1000 words I assumed I'd need more characters to get the extra length, but I quickly realised that it wasn't about adding characters it was about developing the ones I already had. This is one of the most important things I've ever learned about short story writing. I later realised it applied to serials and novels as well.

So to summarise, if you are writing a short story of 1000 – 2000 words you probably won't need more than a couple of main characters and one of them should be main, which takes us nicely on to viewpoint.

Viewpoint

I'm not going to go into the different types of viewpoint at great length here. I will cover those in the viewpoint section (or should I say on the viewpoint *shelf*). But just in case you're new to writing, viewpoint simply means whose eyes we are experiencing the story through.

For example, let's assume we are writing a story about a marriage break up where the wife has had an affair and left her husband. There are three characters in this story: the wife, her lover and the husband. The story might be told through the eyes of any of them, if it is the wife, then she will be the viewpoint character. Not only will we see the action of the story through her eyes, but the story will be coloured by her viewpoint.

It is traditional in a short story to stick to one viewpoint, although you may change if you have a good reason. The viewpoint character also tends to be the main character. There are certain things that should happen to a main character in a short story, one of them being that they should experience some kind of change.

Dialogue

Dialogue is fictional speech. It is very important. It characterises and moves on the plot and gives life to a story. It's possible to write a short story without it but again you should have a good reason – and by this I mean a reason linked to the story, not just because you don't fancy the idea of writing dialogue!

When you are working within the very tight framework of a short story, dialogue is even more important. You can, for example, start a short story with dialogue and throw the reader straight into the action and also set up what your story is actually about.

Let's take the example of the wife, husband, lover story. You might start it like this:

"I'm leaving you, John. I'm sorry, but it has to be like this." Kathy knew her voice was calm, but inside she was shaking.

"You're not going anywhere." He took a step towards her and she was glad the table was between them. "If you think I'm going to let you walk away with that scumbag you're more of an idiot than I thought."

This is not particularly subtle, but it's a swift way of setting up a scene. Already we have a glimpse of the couples' history as well as what is happening now. Kathy is obviously afraid of her husband and it looks as though she has good reason. You can show a lot of information through dialogue that would take considerably longer in narrative.

Plot

A short story is a snapshot, a glimpse into a character's life but that doesn't mean it shouldn't have a plot. Without one it will probably be too slight. A plot is basically a series of events and in a short story it tends to start with the main character experiencing a problem, which by the end he or she will have resolved. There should be some surprises along the way; otherwise you'll end up with a linear sequence of events. For example, a basic crime story might be: crime is committed, crime is solved. This is not a plot. In order for it to be a plot, there must be surprises along the way.

Maybe the person committing the crime is not who we thought, or maybe we learn along the way their reasons are not selfish but altruistic. Either of these scenarios would turn a sequence of linear events into a plot.

Setting

You won't have room for reams of description, but you must have a setting. Your characters cannot interact with each other in a vacuum. Setting needs to be skilfully interwoven. To go back to our husband, wife story, the mention of a table indicates that the story is taking place indoors, possibly in a kitchen. Further snippets of setting would need to be given.

Pace and time span

The pace of a short story is swift. There isn't time for lengthy set up; the reader should be dropped straight into the action, which must be relevant. Then the story will proceed quickly to its conclusion. A short story by its nature will often only cover a short time-span in the life of the character, say an afternoon, or possibly a few days.

Flashback

Just because your story takes place over a short time span doesn't mean that you can't bring in past events, via flashback.

Structure

Structure, pace and time-span are linked. For example, let's assume you're using a diary structure. You could divide your story into a series of sections, each headed up as a different diary entry. In this way the story can move seamlessly over a longer period of time.

Theme

For me, the theme is the glue that holds the story together. A theme dictates what the story is about. Is it loneliness, revenge, healing? If you know before you begin, then it will help you to stick to the point and only include what is relevant. Theme is a great help when it comes to cutting and editing. It will help you ensure your work is tightly written.

Shelf One

Ideas and Getting Started

How do you develop an idea into a short story?

There are many ways of developing ideas into a short story but one of my favourites is by asking the question, what if? This question can help you to develop an idea into a plot. Here it is in action.

What if your main character is getting married and she asks someone other than her father to give her away because her father is dead?

What if she asks her uncle because they've always been close?

What if her uncle is actually her father, but the only people who know this are the bride's mother and the uncle?

This turns an emotional event into something very poignant. By withholding the true identity of the uncle from the reader until the end, you will also end up with a twist.

How do you actually begin in the right place?

You have a brilliant idea for a short story – it has a strong main character, a good plot and a brilliant twist. So where do you go from here? However good your story is, if it doesn't begin in the right place, then you take the risk of no one ever reading it. It is a sad fact that editors and competition judges are flooded with stories to choose from. They are also often too busy to read on if the opening paragraph doesn't grab their attention.

Therefore you should start your story with a bang? Correct? Well, yes and no. You certainly need to catch your first reader's attention, but it is pointless beginning a story with a fabulous opening paragraph if the rest of it doesn't live up to expectation.

Most tutors of creative writing, myself included, will tell you that the first paragraph is very important. It is, but there are other factors. It must be relevant, i.e. it must set the story up. By that I mean that the character you introduce should be relevant – probably the main character/s, the mood and tone should be right and there should be a sufficient hook so that your reader will be intrigued enough to want to read on.

What is a good hook?

A hook is what draws the reader in, but it doesn't need to be a massive dramatic event, for example, there doesn't have to be a multi-car pile up on the motorway, or an adopted child turning up out of the blue – although of course there may be if this is relevant to your storyline or character.

A hook can be something quite small, but it must have significance to your character. Here are some examples of openings from stories I've had published.

Example one – Late
(Published in Take A Break)

The traffic lights turned red as they approached and Kathy cursed beneath her breath. Typical! Today, of all days, she could not afford to be late.

This is a classic way of opening a short story. It puts an instant question into the reader's mind – why can Kathy not afford to be late, today of all days?

Hopefully the reader will read on to find out. If you start with this kind of opening you must then fulfil your reader's expectation. Lateness and its consequences must then be relevant to the rest of the story.

Example two – Silver Slippers and Icicles
(Published in My Weekly)

"You will fall in love with a man who brings you silver slippers and icicles." I was told that by a fortune-teller one long ago summer afternoon.

Fortune tellers and prophecies are a little old hat, but they are also irresistibly intriguing, which is why you'll still see them published. The hook is inbuilt – will the prophecy be fulfilled or won't it?

There is a good chance that your reader will want to know. Once again, you are setting up your story with a question. When you start with this kind of opening you are setting yourself a hard task. The ending must have sufficient punch so that your reader is not left feeling it was either predictable or contrived.

Example three – Pink Carnations
(Published in Woman's Weekly)

It was Liz who spotted the pink carnations. Wrapped in cellophane they lay on the edge of the river bank, half in and half out the water.

Example four – A Perfect Pair
(Published in Woman's Weekly)

Nick Monroe was not in the habit of finding stilettos in his bed. Or to be more precise one stiletto – red, with what his daughter, Chloe, would have called a killer heel.

Examples three and four are slightly more subtle ways to open a story, i.e. with a visual image – which the reader can see. Both stories rely on catching the reader's attention because the items mentioned are not where they would usually be found.

In the case of the pink carnations, hopefully the reader will wonder, as Liz does, how the carnations got into the river and will read on to find out. Ditto with Nick and the stiletto in his bed.

Beginning your story in the right place is vital, but if you're not careful you can get so worked up about whether your beginning is sufficiently attention-grabbing that you never actually get round to writing the rest of the story.

The best way of avoiding this, I find, is to write the entire story without worrying too much and then decide when it is complete if it starts in the right place.

I recently judged a competition and one of the stories had a fabulously intriguing beginning. It didn't explain anything; it simply landed me straight in the middle of the action. There were a couple of details that were slightly confusing but that didn't matter because I was hooked.

When I got to the end of the story I discovered page one was clipped to the back. I'd actually read page two as the beginning, and to my mind the writer would have been better to start there. Page one turned out to contain a lot of set up in which very little happened.

The author had written themselves in. This is absolutely fine and not a bad technique to use, as long as you cut out any unnecessary setting up later.

Test yourself

Write your story. Remove the first few paragraphs. Does it still make sense? If it does then it's likely you have written yourself into the story.

This is an immensely useful tool of writing, although it's sometimes difficult to judge your own work dispassionately. Cut your first few paragraphs and then read your new beginning to someone else, preferably another writer. This is one of the reasons why writers' groups are so good, but if you don't belong to one, then how about teaming up with another writer either in person or via the internet.

How do you persuade an editor or competition judge to carry on reading?

Well, apart from making sure you have an eye catching beginning, you should make sure that enough is happening in the rest of your story to hold their interest. Does the story run along predictable lines or are there surprises along the way?

If there are no surprises then it's possible you don't have a story at all. It's possible that you are just relating a linear sequence of events. So what's the difference between a story and a linear sequence of events?

Remember your schooldays when you were asked to write about what you did in your holidays? Your piece probably went something like this: *First I did this... and then I did this... and then I did this... and then finally I did this...*

Fill in the blanks. It might all have been very exciting, but if you are just describing events that took place without any surprises or structure, then you are actually just writing a linear sequence of events and not a story. The difference between the two is plot.

Shelf Two

Plot

On 'shelf one', we looked at developing an idea into a story and how to get started. Now we're going to take that a little further and look at plotting.

What's the difference between an idea and a plot?

An idea is what you set out with in the beginning. It is the nugget of your story. It might be quite slight, for example, you might decide that you want to write a story about a character who goes to a school reunion. Or it might be fully formed. You might know the character's name and the time span of the story and what message you want to get across.

So when does an idea become a plot?

For me it's when I know the end – which I usually don't when I start to write a story. So I'm the type of writer who doesn't plot.

What exactly is a plot?

In short story terms a plot is a series of events, but there must also be some surprises along the way to keep the reader interested. And of course a good plot must have some kind of resolution.

How do you know if you've got enough plot?

With practice you will be able to tell in advance what length story your idea will make. Do you have an idea which will comfortably fit into a thousand words or does your idea need more space?

When you begin writing you probably won't know and the best way to find out is just to write the story and see. Once you've done this a few times it'll be much easier to judge.

What's the difference between 1000 words and 2000 words in plot terms?

There is not as much difference between the two as I thought when I first started writing. I assumed that if I needed one or two main characters with a problem to solve in a 1000 word story, then I'd probably need more characters and more of a problem for a 2000 or 3000 word story.

I soon discovered that this was not the case. You won't necessarily need more characters or more plot for a longer short story, but you will need more development of both. This is usually achieved by writing more scenes.

What is a scene?

A scene is where you show the reader your characters through their dialogue and action.

Very short stories

In a thousand word short story you won't have room for more than a couple of scenes, probably three at the most and that might be pushing it. We will probably join your character at the point of change or conflict. For example, let's assume your character is worried about a forthcoming appointment she has the following day. Your story might go something like this:

- *Scene one*: Your character is discussing her worries with friend or partner.
- *Scene two*: Your character goes for the appointment.
- *Scene three*: Resolution and possibly a twist.

If you did follow the format above for a thousand word short story, then you'd have to make your scenes extremely short – you'd have just over 300 words to devote to each one.

If you had more space to play with, you might also have a flashback of exactly why your character was so worried about her forthcoming appointment. Your story might then go something like this:

- *Scene one*: Your character is discussing her worries with friend or partner.

- *Scene two*: Flashback in your character's viewpoint to show a previous occasion when she had to go to an appointment and it didn't work out – hence meaning the stakes for today are higher and we (hopefully) care about it more.
- *Scene three*: Your character at the appointment.
- *Scene four*: Resolution and twist

The number of characters and the plotline are the same, but the story is longer and has more depth because we have more development of both.

How do you know if you have too much plot for your chosen length?

There is a very good rule of thumb for this. Telling a story (as opposed to showing a story in scenes) takes up considerably less words.

If your story reads like a synopsis, i.e. you are telling us what your characters are doing and feeling and saying, as opposed to showing us via scenes in which they speak, act and react with other characters, then you probably have too much plot for the length of story you have chosen.

To clarify the difference between showing and telling, here's an example of both:

Telling

Janice was a spoilt child who would throw a tantrum if she didn't get her own way.

<u>*Showing*</u>

"I want that doll." Janice pointed to the top of the window. "The one in the pink dress."

"I'm afraid it's too expensive, darling."

"But I want it."

"Ah, but we can't always have everything we want, can we?"

"If you don't buy it for me now, I shan't go to school." Janice let her legs crumple so she was sitting down on the tarmac outside the shop. Other shoppers were starting to stare. She folded her arms and said, louder this time, "I want that doll NOW."

Showing is much more visual as hopefully the above example will illustrate.

However, it's difficult to 'show' everything in a short story, because of the space it takes up, but you should aim to do a lot more showing than telling.

How do you cure too much plot?

Fortunately, this is quite a nice problem to have. Cut a strand or two of your story and check that your time span isn't too long. It's tricky to get a character's life span into a short story. Stories with too much plot are often trying to do this.

Writers who consistently put too much plot into their short stories are often closet novelists and might be better changing track.

How do I know if I haven't got enough plot?

If you don't have enough plot then your story will probably come across as being too slight. It won't have enough impact on your readers and may provoke little more than a lukewarm reaction.

It's quite difficult to judge if your own work is too slight. The best way to find out is to read it aloud to someone and ask for their opinion. You need them to be honest with you – not polite!

This is one of the reasons that I am a great advocate of writing groups and classes, preferably the kind you attend on a regular basis, although on-line groups can also be valuable, particularly if they are the type where everyone is trying to achieve the same thing, i.e. everyone is writing a novel, or everyone is trying to get published in magazines.

In my experience though, it's more effective to get a face to face reaction. If you read a story aloud and everyone says, 'Wow!' there's a good chance you've got it right. If they say 'Mmm,' and smile uncertainly, or start frowning and shaking their heads, then there's a good chance your story isn't working.

How do I cure a story that is too slight?

This is much more difficult than sorting out one that has too much plot. It is usually a case of going back to the drawing board and starting again. Sometimes you might need to combine more than one idea. Sometimes you might want to shelve the idea for a while and let it germinate in your subconscious. Nothing is ever wasted in writing. I have often written stories that started out as too slight but later became the basis of new stories that did work.

As with everything else in writing, the more you practice the easier it becomes.

Shelf Three

Characters and Viewpoint

Characters are at the heart of every short story. Creating likeable and believable characters is essential if you want to sell your work. But in the confines of a short story you don't have long to set your characters up. In this section we'll look at some ways of doing this without using stereotypes or being too clichéd.

What is a sympathetic character?

This depends on who is reading your story, i.e. it depends on your market. But generally it means likeable. A sympathetic character does not have to be a goody, goody character, who loves children and animals and is always helping old people across the road, whether they want to go or not!

A sympathetic character is one your readers will care about. (That's why the definition of a sympathetic character is dependent on your market). Who is your intended readership? Who are they likely to care about? You might need to research this before you begin.

How do you create a sympathetic character?

Bearing in mind the above, there are some general rules. Your characters should have problems your readers will identify with and they should also have flaws. One of the best ways I know of making a character sympathetic is to give them a problem that is not of their making.

Check out the following list of problems.

- redundancy
- unfaithful spouse
- illness

If you give your main character one of the above, there's a good chance the reader will be instantly on their side. You are halfway to creating a sympathetic character. Let's give your character a little more detail.

She is a single parent and she has just been made redundant. How will she support her family?

His wife has just left him for the one person he thought he could trust – his brother.

She has just discovered she has a terminal illness and has six months to live.

The next step in making your character sympathetic is to decide how they react to their problem.

Let's take example one. If your character decides to resolve things by turning to a life of mugging pensioners then we will probably very quickly lose sympathy for her. But if she decides to risk starting her own business, which is something she's always dreamed of, then we'll probably continue to like her.

We tend to like the same character traits in fiction as we do in real life, for example, determination to win, courage to take a risk, battling in the face of adversity etc.

In example two, let's suppose your character heads after his unfaithful wife and brother and wreaks a terrible revenge on the pair of them and the rest of their family. This is unlikely to leave us feeling sympathetic towards him. He will need to find some other, more positive, way to resolve things.

In example three, if your terminally ill character decides to finish things quickly and go and jump off a cliff, we would probably stop feeling sympathetic towards her – this would also be a very short story! We like characters who face their problems head on and resolve them in (hopefully) smart ways. It is inspiring when a character makes the best of a bad situation.

Whose story is it?

This is important. If you have more than one character, for example, let's assume you have Tom an unfaithful husband, Sarah his mistress, and Liz his wife, you will need to decide which of them is the main character, before you can decide who is to be sympathetic.

Viewpoint is very important when it comes to making your characters sympathetic – as readers, we tend to warm to the character whose head we are in.

To demonstrate this, let's look at some more examples.

Liz slipped off her wedding ring and looked at the white band it left behind. Her finger felt empty without it and she knew her life would be empty without Tom but she couldn't share him any more.

She was past her sell by date. It had been a mistake to marry a man ten years her junior. How could she possibly match up to a woman his own age? Crows feet and a mummy tummy would never compete with flawless skin and a flat belly. Well Sarah could have him. Liz knew – perhaps she'd always known – that she couldn't win this battle.

Liz is the wronged wife and Sarah the scheming mistress. Or is she? Let's look at the situation from Sarah's viewpoint.

Sarah's fingers shook as she put down the phone. She knew in her heart that this had gone on long enough. Tonight she would tell Tom it was over. She should have done it long ago. She should have done it as soon as she'd found out he was married – but by then she'd already been in love with him. It was the kind of love she'd never thought she'd find again: a heart stopping, soul mate kind of love. Yet she should have known it couldn't work out. Not when he belonged to someone else. She'd been so stupid.

Sarah is reasonably sympathetic isn't she? She's not a scheming husband stealer. It's Tom who is the manipulative one – he just wants to have his cake and eat it.

Or does he?

Tom was tempted to keep driving. He could be in Scotland by tea time. But running away from this mess wasn't the answer. He had to sort it out and it had to be tonight. It wasn't fair on either of them to let it go any longer.

He thought back to the first time he'd seen Sarah. Something had twisted inside of him – a pain so sharp it had taken his breath away. It wasn't just that she was attractive – although there was no doubt she was. It was the way she'd smiled at him – the expression in her eyes matching his. Recognition, as though they'd always known each other. He'd never believed in love at first sight until that moment.

He should have walked away then. He should have thought about Liz sitting patiently at home, waiting anxiously for news about the big contract that could save their business. And even though they'd have gone bust without Sarah's help, he wished now that he had walked away.

So, each of them is sympathetic when we view the story through their eyes, wouldn't you agree? Sometimes your viewpoint character won't be sympathetic, but whatever they are up to you've got far more chance of making the reader care about them if you view the story through their eyes.

So, to summarise, give your character a problem that is not of their own making and have them resolve it in a positive and inspiring way. They should – hopefully – become sympathetic and likeable in the process.

Shelf Four

Dialogue

Dialogue is one of my favourite things. I could happily write entire stories in dialogue and come back and put the narrative in later. And indeed, this is something I've occasionally done. Although I try to resist the temptation – experience having taught me this isn't the easiest way to go about things!

I haven't always loved writing dialogue though – far from it. When I first started writing short stories, I found dialogue was the hardest thing to write. I think I was a little bit scared of it. Today, I teach creative writing, and I often find that students new to writing feel exactly the same. I wonder if it's because we're not taught to write dialogue at school – or at least my generation wasn't taught – and so therefore it's an alien concept.

Must a short story include dialogue?

I get asked this question a lot, mostly, I suspect, by people who are hoping I'll say no because they don't really want to write it. If that's your reason for asking, then it's probably better to cure your fear of dialogue, some tips on that later, but if you are asking it purely as a technical question, then the answer is no – a short story doesn't necessarily have to include dialogue.

Some stories – although not many – will work without it. Stories that don't include dialogue tend to be quite introspective, they're often written in first person and if you are completely inside a character's head, then maybe you can get away without external conversation.

Another exception is if you're writing a story in the form of a monologue – this is where your main character is addressing an audience, which is usually off stage. Alan Bennett is the master of the monologue. But just in case you aren't familiar with the form, here's an extract from one of mine.

Confessions of a Cleaner
(first published in The Weekly News)

You find out secrets when you're a cleaner, especially when you're cleaning folk's bedrooms. Not that everyone lets me in there, mind. Bernard, who I do on Wednesdays and Fridays when he's in the city, padlocks his bedroom door. At first I was a bit worried he might be locking someone in or something – you never know with these city types – so I went round the back and sneaked a look through the window.

There wasn't anyone in there, which was a relief, but there were mirrors on the ceiling. I knew there was something kinky about Bernard – I mean why do you need mirrors on the ceiling?

A monologue is basically one character's voice instead of two characters' voices. In *Confessions of a Cleaner*, the narrator is talking directly to the reader.

However, while stories do not have to contain dialogue, it is worth bearing in mind that most do.

Why is dialogue necessary?

Here are some of the reasons:

It helps to characterise
Good dialogue will tell the readers about your characters. Consider who might say the following lines and you'll see what I mean.

"Yeah, it's me, mate, innit."

"I'm so sorry, sir, I'll get one of my staff to look into that straight away."

"I am looking for – how you say – Waterloo Station? Could you tell me, please, where is this place?"

If you had to match the above lines to their owners, i.e. a character who doesn't speak English very well, a teenager, and a customers services manager, hopefully you wouldn't have too much trouble.

It moves along the plot (ie. it tells us what is going on)
Look at the following example from a story called *Facing the Truth*, first published in Woman's Weekly.

"I've decided to have the bags done under my eyes," Helen said, fingering her cheekbones as she spoke and frowning. "They're ageing, aren't they?"
"What bags? You haven't got any."

"I have, Liz. You don't have to be nice."

"I wasn't," I said truthfully, whilst eying the mirror in front of us with alarm. I mean Helen's eight years younger than me. If she has bags I must have suitcases.

It gives your story pace and interest

Imagine a page of narrative with no dialogue to break it up. I don't know about you but I find just looking at a page of unbroken text slightly off putting.

Getting into character

Hopefully I've convinced you of the importance of dialogue. And far from being difficult to write, it can actually be a lot of fun. As we've already seen it's a big part of characterisation. If you know what sort of character you're writing about it's not difficult to write their dialogue.

Remember those tips I mentioned earlier to cure your fear of dialogue. Well, often I suspect we are scared of doing something because we've never done it before, or because we don't think we have the technical skills. But we all have imagination.

So try one of these exercises in imagination: write a piece of dialogue between a gran and her five- year-old granddaughter. Imagine they are visiting the beach and this is the very first time the granddaughter has seen it. What would they both say?

Another good exercise to try as a prelude to writing dialogue is to write a detailed description of a scene you know well, such as a busy pub, or a train station, or a street. Write naturally as you would see the scene.

Then imagine that you are one of the following:

- A child.
- A tourist.
- An angry teenager.
- A character who is lost.
- A character who is late.
- A character who has just fallen in love.

Now describe the scene again in the words of that character. This might seem like a characterisation exercise and in a way it is, but once you are really inside the head of your character you'll find it's much easier to speak with their voice. Have fun.

How do you ensure that your dialogue sounds real?

The best way I know of doing this is to write it and then read it out loud. If you find yourself reading out something different to what's on the page, then change what's on the page to match.

Here are some of my tips for writing natural sounding dialogue:

Lose the contractions

Dialogue tends to be quite informal. Look at the following example:

"I would very much like a slice of that strawberry cheesecake, please, Father," said Jack.

Would Jack really say this? Maybe he would, depending on who he is. But perhaps this is more realistic:

"I'd love that bit of strawberry cheesecake, Dad," said Jack.

Forget proper English

We don't tend to speak in perfect sentences; most of us use a form of shorthand. We often pause or leave a sentence half finished, we say things like er, and um.

We use colloquialisms and slang. Reflect this, but don't get too carried away. For example, it's fine to use words like 'wee' and 'aye' to reflect a Scottish voice, or 'innit' and 'whatever' to reflect a teenager, but don't litter the page with them or you'll lose the effect and your dialogue will become farcical. Less is more. Incidentally, I heard recently that 'whatevs' is the new 'whatever' which brings me on to another point. Slang changes very quickly and can date what you write. Generally, this doesn't matter in short stories, but bear it in mind, and make sure you have the most up to date slang.

How do you make sure your characters have different voices?

We don't all talk in an identical fashion. If you find that your characters do, then this is probably because you're giving them all your own voice. Alter it. This is easier than it sounds once you know your characters.

For example, here are three different characters all asking for exactly the same thing.

"I'd – er – like to book tickets for... hang about... what was the name of that show again, Margie? Just a sec... Ah, here it is – knew I'd written it down somewhere. Er... no – that's not it after all... that's my shopping list..."

"Give us a couple of tickets for Cats please, love – when you're ready."

"I'd like to book two tickets for this afternoon's matinee performance, if I may."

Don't forget that in fiction, as in real life, we all have certain speech patterns and favourite words.

The best way of writing good dialogue is to listen to people talking. Take a notebook out with you and note down lines of overheard dialogue. But don't get caught!

Listen to the soaps. I'm a great fan of the soaps, particularly Coronation Street. Listen to it carefully and you'll notice that none of the characters could say anyone else's lines. If you don't believe me, then turn on the subtitles and makes some notes, then read them back to yourself. I once copied down an entire scene between four characters, and then I gave the unassigned page of dialogue to a class of students.

They knew exactly who was speaking (without knowing the soap) just because of the characters' patterns of speech. Now this is good dialogue.

More tips on curing your fear of dialogue

I'm hoping you'll no longer be afraid of writing dialogue, but if you are still anxious about it, try this exercise. Use one of the first lines below. Then write what comes next. Don't think about it, just write, give yourself ten minutes and don't read back until the end.

"I'm waiting," he said quietly. "I want you to explain exactly what you were doing with that shovel?" ...

"If you ever do that again, I'll...

"It's not my fault," Sheila said. "I didn't ask him to steal it."

"Yes but if you hadn't said...

Shelf Five

Structure

Structure is not the sexiest of subjects when it comes to short stories. Whereas a lot is written about characterisation, dialogue and plot, structure tends to be overlooked, but it is vital. Without it your story can become weak or even fall apart. Structure is the framework that holds your story together.

I was lucky when I learned to write. I had a tutor, Ian Burton, who was very interested in structure. Because of him I now have a much better understanding of the subject and I love experimenting with it.

I hope I can convince you to have fun with it too!

Classic structures

We all know the classic short story structure – beginning, middle, end, although not necessarily in that order. Below is its simplest form:

1. Introduce character with problem.
2. Develop problem.
3. Have character solve problem, with or without a twist.

Here's an example of it in action:

I'm worn out

I'm worn out is a story I had published in Take a Break. It involves a girl who is tired of having a full time job and a husband who neither works nor lifts a finger to help around the house. I've broken it down into sections so you can see the beginning, middle and end.

Beginning

"I've had enough, Mum, I really mean it this time," Becky said as she leant against the doorframe in her parents' kitchen."

Becky goes on to tell her mother she wants to leave her husband and asks if she can borrow her parents' holiday caravan for a bit. Her mother tells her it's booked.

She then asks if she can stay with her parents instead. Her mother isn't keen on this because Becky's dad is ill.

Becky is upset and her mother points out that she and Danny have only been married for 18 months and that she's sure her daughter will find another solution.

Middle

Becky decides to implement plan B which involves withdrawing her services as a full time domestic and not cooking Danny any tea or lending him any money for takeaways.

By the end of the week Danny was begging her to teach him how to cook.

"It took a fortnight for him to get his act together," she told her mother proudly when she popped round to see her a few weeks later.

"He decided he wouldn't wait for a building job to come up, he'd take any work going. He's washing up in a hotel, would you believe?"

So Becky's tough love campaign worked, as she goes on to tell her mother. The story ends, as it began, in her mother's kitchen.

<u>End</u>

"It wasn't a dose of TLC that fixed my marriage," she pointed out. "It was more a liberal helping of tough love."

"Well, one or the other usually works," her mother said, offering her a biscuit.

"How's Dad now?" Becky asked. "Is he better?"

"Erm, much better, thanks, love. He's out playing golf with a couple of friends."

"Nice day for it," Becky said. "And the Jacksons must be pleased too. They picked a good fortnight for their stay in the caravan, didn't they?"

"Erm, well, they had to cancel at the last minute – more's the pity," Norma replied hastily.

Her mother's cheeks had gone pink and Becky looked at her suspiciously. "They never booked it in the first place, did they, Mum?" she said.

Her mother just smiled.

It was then that it hit Becky that Danny wasn't the only one who had been treated to a liberal helping of tough love.

So, the story ends with a small twist. Becky has manipulated Danny but in turn has been manipulated by her mother – for the best possible reasons of course.

Here are a few other common structures that work equally well.

Dual viewpoint

The story is told through the eyes of two characters, their viewpoint alternating on the page. For example, you might begin with Steve and then move on to Charlotte. Each section may be headed up with their name.

This can work with more than two characters, although be careful that you don't use too many as this can dilute the impact, and you will still need a main character.

Letter structure

The story might take the form of one letter, or perhaps a series of letters between two people.

Diary structure

The story is written in the form of a series of diary entries. These work very well. This is also an excellent way of skipping through chunks of time without having to use flashback or any other linking devices.

Some more unusual structures

While we're on the subject of time, time itself is an excellent structure.

Time

I once had a story published in Take a Break which was called The Story of an Hour and literally was the story of an hour. It was split into seven sections. The first section was headed up 7.01 and the last section was headed up 8.01.

This type of structure would work equally well with days of the week, months of the years, or perhaps even seasons.

Linking words

Another device I have used successfully is to link sections with the same word or object. For example, I once sold a story called Keys. It was broken up into several sections and each section began with the main character holding a key. The keys were to different locks, one was a house key, one was the key to a business and one was a car key.

Linking sentences

You can do the same thing with sentences, i.e. have each section of your story beginning with the same sentence. I once sold a story called Rain – each section began with the words: *It is raining.*

Linking settings
You might like to try writing a story with a series of linked settings. Check out the following list:

- Beaches – your character is on different beaches in different parts of the story.
- Sunsets – your character is looking at different sunsets.
- Cities – your characters is in different cities.

You might want to continue the list. There are dozens and dozens of possibilities.

A slightly different way of linking settings is to have one setting, but with several characters in it, for example, three characters on the same plane, when it runs into problems.

Linked characters
These are quite good fun to work out, particularly if you're the type of writer who likes plotting. They usually involve a series of characters who are linked by some event or scene, for example, character one might sell her wedding dress to a charity shop, it is then bought by character two, and we move into her viewpoint, it is then perhaps sold at a tabletop sale to character three who wants it for her children to dress up in and we move into her viewpoint.

A writer friend of mine, Jan Wright, once did a similar thing but the viewpoint stayed with the wedding dress itself, which was telepathically communicating with each prospective owner.

Chain of event stories

Or you might begin with a character, let's call him Ben, whose actions impact on another character, for example, Ben parks his car in a reserved space because he's running late for an interview.

The next character, let's call her Sarah, is late for work because she has to park a little way from the office and walk in. She then gets into trouble at work with her boss, Harry. As a result Harry is in such a grumpy mood that he doesn't give Ben the job.

This is a terrible example, but you get the idea, the last person in the chain performs an action that rebounds on the original character who started the chain in the first place.

So you end up with a kind of karmic chain of events. Both positive and negative events work equally well.

Structure and plotting

Structure can also help you to plot. You could start with the above structure before you have any idea of who your characters are.

Or you might decide that you are going to write a story which is in the form of letters or emails, or perhaps a combination of both, and then work out who is writing them and why.

To conclude

I hope I've convinced you that structure is not only necessary to your story, but can actually help you with plotting, as well as being a lot of fun!

Shelf Six

Time Span, Pace and Theme

In this section we will look at time span and pace, which to my mind are intrinsically linked when it comes to short story writing.

I'd also like to touch on themes and the universal truth, which are two other important ingredients and ones that are easy to overlook. I've heard writers say that theme is the glue that holds a story together. So what is a universal truth and how does that fit in? Well for me, it's exactly as it sounds – a truth that is universally accepted – and used effectively it can bring a story to life.

But let's start with time span and pace.

How long a time span should a short story have?

Traditionally the time span of a short story is *short*. It might be an afternoon, a day, or perhaps a few days. It is probably not more than two or three scenes. There just isn't room for a long time span in a short story, although, of course, rules are made to be broken.

As we saw earlier it's possible to manipulate time by using different structures. For example, if you used the structure of the seasons then your time span could cover a year without any problem at all.

If you jump through time in this way your story is unlikely to feel cramped. But do be careful if you are trying to cover a long period of time chronologically.

What are the pitfalls of using a long time span?

If you try to cover too much ground in a character's life, there is a danger your piece will sound more like a synopsis for a novel than a short story.

Your character may have been born in Rome to an artist mother and then followed in her footsteps and gone to art college, but only tell us this if it's relevant. And if it is relevant, could it be included in flashback?

Flashback

This is the technique of including information from your character's past having signposted the fact that you're about to revisit the past with a relevant link, i.e. Kathy thought back to when…

It is usually best to start in the present in a story and then move forward through time. Beware of using too much flashback and when you *are* using it write it scenically. We will look in more detail at flashback and how to use it effectively in the next chapter.

What is Pace?

Pace is the speed at which your story moves forward. On a technical level, short sentences, dialogue and action tend to speed up pace. Longer sentences, narrative and introspection tend to slow the pace.

A very short story, i.e. 1000 words or less will tend to have a fast pace. There is little time for introspection, although there is room for some. There is even less time for lengthy description. Relevant details need to be threaded in swiftly.

This is the first 193 words of a short story called Turn the Lights Down, which was published in Take A Break.

"Thursdays are the new Fridays, Mum," Becky's voice drifted through the open kitchen door. "So I wouldn't worry about traffic too much – anyone who's going away for a weekend these days, wouldn't be leaving it as late as Friday."

"Lucky old them," I muttered, just missing chopping off the end of my finger with the potato knife. "Some of us have to work five days to be able to afford to go away for the weekend."

"You're not doing chips, are you?" My daughter appeared in the doorway and I didn't need to look up to know her lips were curled into a sneer. "Potatoes are the new chips, you know."

"Is that so? Well, they're not chips, they're wedges." And they'll be on a baking tray with just the teeniest hint of olive oil to remind me what fat tastes like. I didn't say that last bit, but I wanted to. How did I ever survive

before I had a teenage daughter to fill me in on the right way to live my life? Which would, if she had anything to do with it, be entirely fat free, politically correct and recycled.

This opening paragraph establishes that the viewpoint character is a mother with a teenage daughter, they are in the kitchen, and the daughter thinks Mum is old fashioned.

The pace is fast. Most of the information is coming through dialogue. Setting is threaded through in snippets. We know they are in a kitchen; there is no need for a lengthy description.

Varying pace

However, do be careful to vary your pace – if you move at breakneck speed through a story without any pause for reflection your reader might find it too rushed.

Try to vary your sentence lengths to suit what is going on in your story. It is quite easy to get one-paced, i.e. your story moves at exactly the same pace all the way through. This can become tedious to read. Varying the pace adds interest.

What is a theme?

The theme of a story means what it's about. It can usually be tied down to one word, for example, revenge, loss, healing, love, jealousy. A theme holds a story together and if you know your theme before you begin, it can certainly help you to write your story.

Don't worry if you don't know it before you begin. Often it will emerge as you write. A theme also makes it easier to edit because you can cut out what is not strictly relevant.

Incidentally, the theme of *Don't Turn the Lights Down* is change.

The universal truth shown in *Don't Turn the Lights Down* is something else entirely. The universal truth is that, however much time changes some things, it doesn't change love at all.

Universal truths

Here are some more universal truths:

- Money can't buy happiness
- Time speeds up as you get older
- Teenagers think they know best
- We tend to look at the past with rose tinted glasses

I could go on, but you get the picture. There are probably thousands of universal truths, and having one at the heart of your story will help it to work. It will also help it to have resonance. It's similar to having a message.

What are the pitfalls of using a universal truth?

This might seem like an odd question to ask, but I think there is a pitfall. You need to be very careful that your universal truth emerges naturally from the story and its characters and is not tacked on by the author at the end.

If it is too overt your story might come across as being preachy.

When can it work well?

I think that a universal truth is at the heart of a story. If you can get one at the centre of your work, it will bring the whole piece to life. For example, I once read a brilliant story in a Woman's Weekly Fiction Special about the problems arising from step families. It was called, My Dad Didn't, by Diana Higham.

It was about a couple who have just got together and is told from the viewpoint of the man. Their problem is the woman's teenage son, Josh, who doesn't approve of his mum's new relationship and is continually criticising.

His favourite line is, "My dad didn't do it like that."

It doesn't matter whether his mum's new partner is painting a window or fixing the plumbing, Josh continually compares him unfavourably with his father, who was a professional handyman.

Josh's parents, incidentally, split up because they'd realised they'd made a mistake and no longer loved each other.

Understandably, the narrator finds the constant unfavourable comparisons hard work, but he is anxious to please Josh and tries his best.

The story culminates when he builds a terrace and as usual Josh is not impressed with his work. But his new partner is very pleased and the couple share a lingering kiss on the completed terrace.

When they surface, the narrator realises Josh has been watching their embrace, as if it were another household task. He waits for Josh to pass judgement, but actually Josh is embarrassed, as he finally realises that, no, his dad wouldn't have done it like that…

What I loved about this story is that it very subtly underlines a universal truth. New relationships are bound to be different from old ones and while the differences may cause problems, it's also the differences that make them work.

A theme underlines what your story is about. But a universal truth makes it readily identifiable to the reader.

Shelf Seven

Flashback

Flashback is a very useful tool for writers. It is also one of those aspects of writing that you don't notice unless it's done badly. If, part way through a story, you suddenly find yourself utterly confused and wondering whether the characters are in the present or the past, then the flashback hasn't worked.

What is flashback?

In story terms it's a scene or event that happened in a character's life before the story began.

Why is flashback necessary at all?

Most short stories start at the point of action or conflict, i.e. they start when something interesting is happening. Your characters may be having a row, or they may be in some sort of predicament. Let's look at some examples:

The predicament

Being stuck up a tree was not how Anna had planned to spend her thirtieth birthday.

This is a perfectly acceptable way of starting a story – the hook is in why Anna is stuck up a tree, but at some point the reader is going to want to know how she got up there, and this is where flashback comes in.

Another occasion where you might need to use flashback is to show an incident in the past which is relevant to what is currently happening in your story. Often it will shed some light on your character's motivation.

The incident

When Dan heard the cry and caught sight of the figure way out in the middle of the river, the first thing he felt was fear.

He'd nearly drowned as a child. He'd been about eight when he'd fallen into the canal.

The line *He'd been about eight when he'd fallen into the canal* is the first line of flashback. We are about to take the reader away from what is happening in the present and into a scene in Dan's past. This brings me on to one of the main pitfalls of writing flashback: holding up the action

Holding up the action

There is a danger that the reader won't want to know about Dan's past – they'll want to know about the person in the river. For this reason be careful not to hold up the action too long.

One way of avoiding this is to quickly get back to the present, so instead of having a long scene of flashback you can thread snippets into what you are writing.

<u>*Snippets of flashback*</u>

He'd been about eight when he'd fallen into the canal. He still remembered the terror of the dark water closing over his head.

A louder more urgent cry galvanised him into action. Whoever was in the river was in trouble. He had to do something quickly. Dan kicked off his shoes...

In this way the reader still gets the vital information, but the story of what's happening now isn't put on hold for too long. Dan is soon back in the present where the exciting stuff is happening.

Is it possible to write a story without using flashback?

Yes, although I think it's quite tricky to write a story with none at all. I used to rely on flashback a lot, and sometimes I'd use quite long chunks, 300 words or so in a 1000 word story, but these days I think it's definitely a case of 'less is more.'

Using sign posts

If you are going to use it, then make sure you signpost it clearly. *He'd nearly drowned as a child.* This tells the reader we're going back

Timing

The reader also needs to be given a rough idea of how long ago the event happened.

He'd been about eight when he'd fallen into the canal. Using a character's age, as in the above example, is a good device.

The technical bit - using pluperfect tense

It used to be acceptable to use the pluperfect tense to show flashback. But things have moved on. Using the pluperfect tense can make the writing clumsy and awkward.

To clarify this, here's another example.

Steve sat in the pub garden sipping a beer and remembering the first time he'd brought Paula here.

She'd ordered a rum and black and they'd laughed because it was so old fashioned.

"I didn't know anyone still drunk that," he'd teased.

"Well, I do." She'd flicked her blond hair back off her face and pinched his arm affectionately. "It's my favourite drink."

"What's your favourite food?" He'd wanted to know everything about her: her favourite music; her favourite film; her favourite book. It had been the beginnings of love although he hadn't recognised it as such.

"Vindaloo curry," she'd said, and there had been a challenge in her eyes. "I like my curries hot."

"Me too."

"I bet I can eat a hotter curry than you."

"I bet you can't. I was chilli eating champion of the school in 1987."

"Is that so?" She'd leaned across the table then, her bare arm brushing his. He'd wanted to suggest they went back to his place there and then, but not for a curry eating competition.

The first line of this piece of writing is in past tense, the flashback section is in pluperfect tense, i.e. *he'd* teased or *she'd* flicked *her blond hair*, but actually this isn't necessary. Once you have established that your characters are in flashback you can drop the pluperfect tense and treat the scene as though it were happening now.

Here it is again with minimal pluperfect tense to signpost that we are going into flashback.

Steve sat in the pub garden sipping a beer and remembering the first time he'd brought Paula here.

She'd ordered a rum and black and they'd laughed because it was so old fashioned.

"I didn't know anyone still drunk that," he teased.

"Well, I do." She flicked her blond hair back off her face and pinched his arm affectionately. "It's my favourite drink."

"What's your favourite food?" He wanted to know everything about her: her favourite music; her favourite film; her favourite book. It had been the beginnings of love although he hadn't recognised it as such.

"Vindaloo curry," she said, a challenge in her eyes. "I like my curries hot."

"Me too."

"I bet I can eat a hotter curry than you."

"I bet you can't. I was chilli eating champion of the school in 1987."

"Is that so?" She leaned across the table, her bare arm brushing his. He wanted to suggest they went back to his place there and then, but not for a curry eating competition.

It is fine to use the odd *he'd* or *she'd* to remind the reader that you're still in flashback, but otherwise you can act as though the scene was taking place now.

When you are ready to come back to the present, you also need to signpost it clearly. For example you might say:

That's how the curry eating competition had begun. That's how all of it had begun.

Steve sighed as he remembered how perfect it had been. But now it was over.

Is there such a thing as flash forward?

I was going to say no, but then I remembered The Time Traveller's Wife by Audrey Niffenegger. And there are probably lots of other books where characters visit the future. There is no reason why you shouldn't use flash forwards if you have a very good reason. But don't forget the rules.

Make sure that your flash forward scenes are relevant to what is happening now.

Do not confuse the reader so make sure you sign post your transitions both to and from the different time clearly.

Do not take the reader away from the current action for too long in case they lose interest.

Exercise

An interesting exercise is to write a story without using flashback at all. It's harder than you think!

Shelf Eight

Cutting and Editing

Some writers love the editing process, some writers hate it and I have met one or two writers who don't believe it's necessary to edit at all. Whichever category you fall into I hope you'll find something of value from this section on the subject.

Carpentry and writing

I've often thought that the two have a lot of similarities. Both work with raw materials, words in our case, and both use various tools to refine and shape. A carpenter must first create the basic shape, let's say it's a table, and then he works on the finer details. However, the table isn't finished until he has polished the surface and carved out the detail of the legs. Honing and polishing to make the table perfect can often take a lot longer than cutting out the basic shape.

Writing is much the same. I often find that I can write the first draft of a story quite quickly but it is the editing that takes the time.

To take this analogy one stage further the completed table will also need to be fit for purpose, just as a story will need to be right for the market you have in mind. More of that later.

Is editing necessary?

I envy writers who believe edits aren't necessary, but for me they are. For the last twenty five or so years I've been practising writing on a daily basis and I know I can't write a perfect first draft. To be honest I doubt I can write a perfect final draft either!

Editing and computers

I don't know about you but I've found computers have changed the way I write. I find myself editing continuously as I type, whereas if I was writing on paper I wouldn't do it. Hence, what is technically a first draft will already be edited. Be careful with this though – it's probably best not to edit too much during the actual process of writing. If you're thinking about every word you write, rather than just letting it flow naturally, you could end up writing nothing at all.

Editing and writer's block

Perhaps over editing is a cause of writer's block. Perhaps writers get so hung up on perfection that they are scared to write anything at all. I would be interested to hear what other writers think about this.

Is it possible to over edit?

Yes, I think it is. There is a certain fire in a first draft. There is also a flow. If you cut out too much you can change the natural rhythms of your work and cause what's left to be stilted.

Words should be there to move the story along, but words are also there for balance and rhythm. Over editing can leave work feeling flat.

Look at these two sentences. Read them aloud.

He reached to touch her. "Yes," he said, "I think I do."

He touched her. "Yes. I think I do."

They both say exactly the same thing. But for me the first one is better. It's more natural, more rhythmic. Of course it will depend on the context. Sometimes you might want a more stilted feel to your work. But do bear in mind that editing isn't just about cutting superfluous words. You need to keep the balance of the sentences right too.

I think that one of the best ways to decide whether you have over edited is to read your work aloud. If you find yourself adding words as you read then these are probably words that should still be there.

Conversely if you find yourself removing words, then these are probably words that shouldn't be there.

The ear is a much better editor than the eye. You can read a piece on the page a dozen or more times and not spot repetition that will be instantly obvious when you read it aloud.

Murder your darlings

This means, in writing terms, to take out superfluous words or phrases. They are referred to as your darlings because they will often be the words or phrases you like the best!

That is not to say you should remove every phrase you really like in your writing – where's the fun in that? It means you should be aware that some of the phrases you really like are there because you like them and not because they're adding anything – or moving your story on.

They might, for example, be clever metaphors, or literary descriptions. Most of my own personal 'darlings' are literary descriptions. These might be absolutely wonderful in writing terms, strokes of genius, even – and I say that with my tongue firmly in my cheek – but are they really necessary? Every word in your story, particularly a short story, should earn its place.

Are they earning their place? This is a very good criterion to use when deciding which ones should stay and which should go.

Tip for murdering your darlings

When I do have to murder my darlings, I've discovered it's a lot less painful if I don't actually murder them, but just knock them over the head temporarily. I cut them from the piece I am writing and save them in a separate document for future use.

That way they are not spoiling the story they are in, but they are not banished for ever and might well be perfect for another story.

Try it, it works, I promise!

What three things should you look for when you edit?

There are probably more than three things, but these are a good start:

Repetition, clumsiness and clichés

Repetition is my number one edit. Once I have written a piece I will go through it and check that I haven't repeated myself. As well as looking for repeated words, I will check to make sure I haven't said the same thing twice, for example, she cried her eyes out. She was so upset.

I also check for clumsy sentences. Could I have worded that paragraph better? Would the impact be greater if I used shorter sentences?

In a first draft clichés will creep in. Sometimes I won't even notice they're there, or sometimes I'll notice, but don't want to interrupt my flow of writing by trying to think of an alternative. Clichés usually get removed or replaced during my second or third draft.

Sense and continuity

Does your writing make sense? Simple mistakes like changing a character's name halfway through a piece can spoil it completely. Does your character have the same colour eyes on page seven as she does on page one?

If you are describing a woodland setting, make sure you're factually correct, for example, would there be bluebells at that time of year?

Is what you've written feasible? If you are writing about a safari in Africa, make sure you can see the animals you're writing about in that location. If you are writing about divers in a deep sea location, check how long they can stay at the depth you've put them.

This last point might sound obvious but even in fiction it's important to be factually correct. There is nothing more annoying than reading something that is not credible.

The technical side

This includes spelling, grammar and punctuation. I tend to do this one last, as I find it requires a completely different mindset than the other kinds of editing. I print out the document and go through it line by line.

Do not rely on a computer spell checker. They are useful, but obviously won't spot mistakes that are correctly spelt, for example, typing *back* when you meant *black*. Their grammar is often questionable, and they won't pick up errors like missed quotation marks around dialogue.

Editing tip

It is much easier to edit your work when some time has elapsed since its creation. If you write a story on Monday morning and edit it on Monday afternoon, you'll probably still be too close to it for a proper edit. If you come back to it on Friday afternoon your mistakes will leap off the page.

This is a very good reason not to leave writing a story for a competition until the last minute. Write the story. Leave it alone for a couple of days, preferably write something else, then come back to it and edit. Don't forget to recheck your word count after your final edit.

The market

One other thing I'll check in a final draft is that the language is suitable for the story's intended market. Have I used phrases that are too flowery or too banal? This particularly applies if you are editing your story for a different market than the one for which it was originally intended.

Shelf Nine

Going To Market

If you've read up to this point and are a beginner, then you should by now have all the tools you need to write a successful short story. If you're not a beginner, then I hope I've been able to give you some tips along the way. So what next?

Now we are going to focus on how to put it all together, how to market your work and how to present it for publication. There is also a section on entering short story competitions, as not all writers are aiming for publication.

Marketing

Marketing a short story is something you'll only need to do if you are writing for publication. If you are writing for yourself, your family and friends and possibly your writers' group, then you can skip this shelf of the toolshed.

Getting into print is surprisingly simple. You have to write what others want to read. When I started writing I had no concept of this – I think that perhaps many writers are the same. We begin to write because we want to express ourselves. We're often in love with words. We write for the joy of writing.

There is nothing wrong with this. But if you do want to be published you'll need to change your approach. You'll need to do some market research.

How to do market research

This isn't as complicated as it sounds. It simply means you should study your market, be it magazine or podcast or online markets or small press, before you write your story.

Ask yourself the following questions. Who is your target reader? What is her age and background? (I'll use her but it could equally be his). What are her interests? Does she have family, career, older parents, animals?

Answering these questions will give you an idea of what type of story she'll be interested in. Once you know this you can write especially for her. Some writers tell me they have a target reader in mind when they write. And if you ask a magazine for guidelines, they will often mention their target reader. A magazine will know her very well. They wouldn't be in business if they didn't. And so will their advertisers.

Hence, a quick way of ascertaining who reads a magazine is to look at the adverts and the letters page. The problem page is valuable too and has the added bonus of being a goldmine for plots.

So you've done your market research. You have a fantastic opening paragraph, a great plot, believable characters, realistic dialogue and a toe tingling ending.

You have polished your final draft. You have checked there are no mistakes. What do you do next?

Presenting your work for publication

Magazines, podcasts, online markets and small presses will often give you specific guidelines on how to present your short story and if they do then obviously follow them to the letter. But here are some generally accepted guidelines.

Use double line spacing unless told otherwise.

Use an easy to read font. Times New Roman, size 12 is usually acceptable.

Left and right hand margins should be at least 1½ inches (3.27cm).

The first page should be the title page. This should include your name and address, (phone number and e mail address optional) the title of the story and the approximate number of words.

It should also include the letters F.B.S.R.O. (First British Serial Rights offered).

There has been some dissent about including the above. I have heard other writing tutors say it is the mark of an amateur to state what rights you are offering, but personally I still write F.B.S.R.O on my own work. I partly do this because there are one or two publishing houses who are fond of buying all rights, and I want to make it clear that I am only selling first rights. Don't forget to change the word British to the appropriate country when submitting abroad.

On page one of the manuscript you should repeat your name and address, the title of the story and the page number.

The title and page number should also appear on each page, (you do not need to number your title page).

Email or postal submissions

Magazines or small presses or even online markets will state whether they require e mail or postal submissions. If you don't know, then ask before submitting.

When submitting via email

Unless stated otherwise on the guidelines send your story as an attachment.

If you send it in the body of the email (as markets occasionally request) then single spacing is fine.

When submitting via post

Unless stated otherwise on the guidelines do not staple the manuscript, a paper clip is fine.

Include an SAE for the return of the manuscript or an acceptance letter.

It is not necessary to include a covering letter – it will be obvious to the fiction editor what you are submitting. But if you have previously sold a story to this market, it's not a bad idea to mention it. Your story will then – hopefully – bypass the slush pile.

Timing

Expect to wait two to three months for a reply from a magazine. Some magazines are much quicker than this, some much slower.

Some magazines say on their guidelines that they do not reply to unsuccessful submissions and that if you haven't heard from them within a certain amount of time then you can assume yours is unsuccessful.

Chasing up

I'm often asked how long I would leave it before chasing up the fate of a story. I tend to advise writers to leave it at least six or seven months.

Personally, I hardly ever chase up stories because previous experience has taught me that this usually results in them being sent back immediately, un-bought! One of the qualities that a writer needs is patience, by the bucket load.

In fact, while we're on the subject I have devised a list of eleven qualities a professional writer needs – just for fun, you understand. But I'm sure that lots of you out there will be able to relate to this.

Eleven Qualities A Professional Writer Needs

1. Patience
2. Sensitivity (whilst writing)
3. A thick skin! (whilst being rejected)
4. Patience
5. A sense of humour
6. A very stubborn streak
7. Patience
8. The ability to exist on next to no money
9. Diligence
10. Courage
11. And did I mention patience!

Writing for short story competitions

If you are writing for competitions then here are my top tips based on my experiences both of entering and of judging them.

It goes without saying that you must stick to the rules. I recently saw an entry form, which carried the warning, *entry fees from disqualified entries will be donated to our local charity.* This would only be there if the organisers had disqualified several entries in the past.

Rules vary considerably. I find that having a checklist by my side when I'm putting my entry into the envelope is very handy. Tick the rules off as you go.

Manuscripts with too many obvious mistakes will often be thrown out by a first reader and won't get as far as the judge.

Impressing a judge

I am impressed when I see a manuscript that is professionally presented. By this, I mean that it is laid out as a manuscript should be laid out, that it has a page number and title on each page and that there are no immediately obvious mistakes.

You would be amazed how rare this is!

Titles

A well thought out title or one that is unusual will often catch my eye. Avoid generic titles such as, Dreams or Clouds, or ones that are overused such as Moving On or Letting Go.

Try to be specific. And don't forget there is no copyright on titles so you can steal them from film or music.

A title in Woman's Weekly caught my eye recently. Fifty Ways to Find a Lover by Jill Butcher. Great story too.

Beginnings and endings

A very good opening paragraph is essential. But don't neglect your closing paragraph either. It's such a disappointment to read a brilliant story with a rushed ending. I recently read a really emotional story, which would have won the competition I was judging, but the last line let it down.

The last line is in some ways more important than the opening line because it's the last thing a judge will read and it tends to stick in the mind.

The X Factor

There is also something else, which is very hard to put into words. I've heard judges call it the X Factor or the Wow Factor. It's a combination of confidence, great writing, lightness of touch and what I think is best called 'emotional truth.' It's hard to define but we all know it when we see it.

It's the kind of story that makes the hairs stand up on the back of your neck as you read. It leaves you thinking, wow, I wish I'd written that. It's the kind of story that gets better on a second and third read.

If I knew how to achieve the X Factor consistently I'd be a millionaire. Sadly I'm not. But I don't think this elusive quality happens by accident. It comes from writing from the heart, and from hard work. Incidentally it's rare to see a typo in an X Factor story!

Shelf Ten

Rejection and Motivation

Before we leave the toolshed we will look at how to deal with rejection and how to keep motivated. How to make the best use of the time you have to write and what to do about family and friends who don't think writing is a worthwhile activity!

Writing a short story and submitting it to an editor or competition judge is a great achievement, so give yourself a big pat on the back. It may sound unbelievable, but I know several writers who never send off their work. They slave over stories, which will never be published because they are never sent out. Instead they are hidden away in drawers, never to see the light of day.

If this is you, then read on. Maybe I'll be able to change your mind about submitting.

Ask yourself this question: What have I got to lose?

Mostly writers say things such as:

- I'm scared it's not good enough.
- I'm worried about getting a rejection.
- I wouldn't have the nerve to send this to an editor or competition judge.
- I'm not sure I've presented it correctly.

I could go on. There are countless variations on a theme. Usually it's lack of confidence that stops writers sending work out.

Most writers worry their work is not good enough at some point. Some worry about it continuously, but it's an awful shame to let it get in the way of possible publication. In my experience the best writers are often the ones who are the most insecure.

All writers get rejections. In fact, I'm going to stick my neck out here and say the most successful writers have the MOST rejections. This is because the most successful writers are usually the ones who are the most persistent. It's a numbers game. The more stories you send out, the more rejections you are likely to have. (And the more successes!)

If you don't have the nerve to send your work out then is there a valid reason? I.e. do you know, deep down, it's not the best you can do? If this is the case, then improve your work. If you are just having a confidence crisis, send it anyway – the editor or judge will almost certainly have seen worse.

Likewise, if you are worried about presentation or punctuation then do something about it. Join a class, or get someone who's more confident to check it through. Don't let the technicalities of writing hold you back.

So, let's go back to my original question. What do you have to lose by sending out your work?

The cost of the postage (that's presuming you can't submit electronically). Or the cost of the entry fee. In real terms, you'd probably spend a similar amount next time you start your car!

The reason for rejection

I know it's not quite as simple as this. If you've read this far, thank you, you'll know I advise writing from the heart. And when you write from the heart part of yourself goes into your work. If it is subsequently rejected it feels personal.

But it isn't. There are many reasons why stories are rejected. Mostly, they boil down to one. The story is not what they're looking for at that moment.

Making rejection less painful

One way to make rejection less painful is to detach yourself from your work. Not when you're writing it, but as soon as it's finished, and by that I mean, rewritten, edited, polished and in the envelope. Then it becomes a product.

This particular tactic helps me no end. I send out a lot of work. I hate to think how many rejections I've had over the years, but so far my record for the most in a day is eleven short stories and a serial.

That happened about eight years ago – I sobbed my heart out. I thought I would never sell a story again. I contemplated doing a job that was less heartbreaking. Fortunately I am surrounded by writer friends who have more faith in my ability than I do. They persuaded me it was just a bad patch.

A month later I had a record breaking amount of sales in a week, which was ten. I wish I could say it was ten in one day, but it wasn't – the difference between sales and rejections, I guess!

My point is that rejections are a part of the game. The best way to deal with them is to realise that they're going to happen. Not many of us can avoid them.

Incidentally, I subsequently sold nine of those eleven rejections to other markets. If I'd given up when I was tempted to, I wouldn't have sold any of them. Food for thought!

Positive rejections

If an editor or judge takes the time to comment on your work, then do pay attention.

Rewrite if necessary, and resubmit, but don't resubmit to the same editor unless you are specifically asked. One of my students, Rosie Edser, doesn't use the word rejection any more. She calls them remops (re-marketing opportunities). What a fabulous description.

Time to write

Most writers have an optimum time of day to write. By optimum I mean the time when their creativity and concentration is at its highest. My best times are mornings and evenings. In the afternoons I feel sluggish and unmotivated.

You may not be able to choose. If you're working full time or have other commitments you may have to snatch your writing time as and when – but it's still worth experimenting to find out when your brain is at its most creative. And if possible, write then, because it will save you a lot of time in the long run.

Thinking time

If you only have limited time to write, don't worry. It's amazing how much writing you can do before you get to your screen or notepad. Don't waste time sitting in front of a blank page. Decide what you're going to write about and go to your screen when you are ready to begin.

Don't worry about starting in the wrong place; just write for the time available. If you are halfway through and have a plot problem it's often better to go and do something else while you think about it – preferably something that leaves your brain free to concentrate, such as housework or walking the dog.

Writer's Block

I don't believe in writer's block. At least I don't believe I've ever had it. Before I was a full time writer I was a customer services manager. I never found myself getting customer services manager's block. I've also never suffered from waitress's block, washer upper's block, secretary's block, factory worker's block or tutor's block – all jobs I've had at one time or another. So why should writing be any different?

Yes, it's very hard work sometimes – but then so were the other jobs. If I'm having a bad day it's often because the piece I'm working on isn't right. Sometimes a rethink is necessary. This isn't a block – it's a difficulty I will find a way around. Hopefully it's the same for you. But I would love to hear your thoughts on this subject. So do contact me via my facebook page or blog.

Husband's/Wife's Block

This is another matter entirely. I say this with my tongue firmly in my cheek, but if you're having problems with relatives who don't believe writing is a worthwhile occupation, then you have my sympathies.

I've heard horror stories from writers whose relatives do one or more of the following:

- Sneer.
- Interrupt.
- Make you feel guilty about writing or are generally unsupportive.

Sneering is best ignored I've had some experience of this one (always from non writers.). They usually stop when you earn some money or win a competition.

Interruptions are harder, especially when relatives are interrupting to ask if you'd like coffee or tea. Make it clear that interruptions cause you to lose your train of thought, which means your writing will take twice as long.

If you are getting phone interruptions then don't answer the phone. I ignore mine when I'm working. Ditto the doorbell. It isn't a bad idea to switch off email too and close down social networking sites.

If you really can't stop the interruptions then perhaps you can remove yourself from them. I know writers who lock themselves in the bathroom, or go out in the car and write in car parks. Didn't J K Rowling write in coffee shops? There is always an answer. Incidentally, I know several writers who have invested in a shed – a real shed, as opposed to a metaphorical writer's toolshed. (Hello Bernardine and David K). It's far easier to hide from interruptions if you have your own private workspace separate from the house. This could be the answer for you too.

But if you do have to work surrounded by people and you have problems with general comments like, why are you bothering with that? Why don't we go to the cinema/pub/gym etc? it's probably best to explain that writing is important and it's how you've chosen to spend your spare time. If you're firm they should eventually get the message.

Do not feel guilty about having some time to yourself. Everyone needs time to themselves.

If on the other hand your problem is procrastination and you frequently find yourself using your spare time to clean the kitchen floor, tidy up, cook, watch television etc, then here's my top tip. Prioritise your writing. Put it at the top of your list, set aside the time you need for it, and you will do it. I promise. Good luck.

A Last Word From Me

So there you have it. You know what the tools are and I very much hope I've been helpful in showing you how to use them. The next step is practice. Learn how to use the tools effectively by writing as often as you can. Writing is like any other craft, the more you do it the better you'll get. So practice and practice and practice. If you love writing that bit will be no hardship. For me, one of the most amazing things about writing is that it's possible to get better and better. If you don't believe me, take a look back at some of your early work. I am always quite shocked when I do this. Did I really write that? More embarrassingly, did I really send it off hoping it would be published? Thank goodness the magazine editors were kind enough not to hold it against me!

And now… all that remains for me to say is, have fun, and happy writing.

If You've Enjoyed This Book...

I hope you've enjoyed this book as much as I enjoyed writing it.

In the meantime, if you've found it useful and you'd like to 'spread the word', then here are a few ways you can do just that.

'Like' my Facebook Page

Pop along to www.facebook.com/dailydella, and click the LIKE button (up there at the top). Your 'friends' will be able to see that you're a fan, and you might see a daily post from myself in your feed. Nothing too intrusive, I promise.

Follow me on Twitter

If you're more of a twitterer I tweet under the handle @dellagalton. The odd re-tweet would be most appreciated.

You can follow me here: twitter.com/dellagalton

Review this book

Positive reviews are always welcome. You don't have to have bought this book on amazon to leave your glowing five star endorsement.

Got a blog or a podcast?

A book review, or a link to my website (www.dellagalton.co.uk) are always appreciated. And if you'd like to interview me for your blog or podcast, just drop me a line.

Tell a friend

And finally, one of the hardest things for any author to achieve is 'word of mouth' recommendations. Next time you find yourself discussing books with a friend, remember me! :-)

Lots of love

Della

Also Available

The Novel Writer's Toolshed
For Short Story Writers

Your Quick Read Guide
to Writing Longer Fiction
by Della Galton

The Novel Writer's Toolshed for Short Story Writers

Originally written as a series for Writers' Forum Magazine, this snappy no nonsense guide has been expanded, amended and updated. Using examples from her own published work, Della Galton explains how to make the leap from writing short stories to writing a full length novel.

Subjects covered include:

- How do you know if you have a big enough idea?
- How exactly does a short story character differ from a character in a novel?
- Will your plot go the distance?
- What should be on your first page?

Della Galton is a working writer and agony aunt for Writers' Forum. She has had three novels and over 1000 short stories published.

"Writing advice from one of the best in the business."
Carl Styants, Editor of Writers' Forum Magazine

VISIT AMAZON (.CO.UK & .COM) TO BUY THE BOOK AND FIND OUT MORE DELLA'S NON-FICTION AT DELLAGALTON.CO.UK

Also Available

Ice And A Slice

The third full-length novel from
Della Galton

Ice And A Slice

Life should be idyllic, and it pretty much is for Sarah-Jane. Marriage to Tom is wonderful, even if he is hardly ever home. And lots of people have catastrophic fall-outs with their sister, don't they? They're bound to make it up some day. Just not right now, OK! And as for her drinking, yes it's true, she occasionally has one glass of wine too many, but everyone does that. It's hardly a massive problem, is it? Her best friend, Tanya, has much worse problems. Sarah-Jane's determined to help her out with them – just as soon as she's convinced Kit, the very nice man at the addiction clinic, that she's perfectly fine.

She is perfectly fine, isn't she?

Praise for Della's novels

"Della's writing is stylish, moving, original and fun : a wonderfully satisfying journey to a destination you can eagerly anticipate without ever guessing."

Liz Smith, Fiction Editor, My Weekly

VISIT AMAZON (.CO.UK & .COM) TO BUY THE BOOK AND FIND OUT MORE DELLA'S FICTION AT DELLAGALTON.CO.UK

Also Available

Daily Della

Short-Story Anthologies from
Della Galton

Daily Della Short Fiction Anthologies

If you're a lover of short fiction you might enjoy reading some of my favourite stories, hand picked from the 1000 or so that I've had published in the last twenty five years of writing.

'Daily Della' is a series of short fiction anthologies for all Kindle enabled reading devices. Five stories in each issue, ideal for your daily coffee break.

Right now they're available in two flavours – 'Romance' and 'Twist-in-the-Tale'.

To view all the titles in the series
visit dailydella.com
or search for Daily Della on amazon

Also Available

Ten Weeks To Target

One of several novellas by Della Galton.
Now available as an ebook, and in paperback

Ten Weeks To Target

Divorcee Janine has outgrown her entire wardrobe. Her niece's wedding is in ten weeks. Drastic action is needed. She joins a slimming club where she meets Pete, whose wife has given him an ultimatum: 'Lose four stone or I'm leaving you'… The two support each other through the dramas of life, as well as slimming, but reaching their targets turns out to be a new beginning – in more ways than one.

How To Eat Loads And Stay Slim

How To Eat Loads and Stay Slim isn't a diet book. Not in the traditional sense.

It's a mixture of hard science (eg. how hunger really works), quick 'cheats' (eg. how to make zero fat chips), psychological techniques (eg. why focusing on your food as you eat is really important), ingenious strategies (eg. how to cut down on sugar without going cold turkey), and easy peasy recipes (eg. Peter's roast potato & egg smashup breakfast or Della's apple ginger clafouti) – all served up in an easy-to-digest, humourous read from authors who've been where you are now.

Each thought provoking, scientifically-provable, idea has a STAR RATING. There are fifty four stars available. You get one just for buying the book! Collect enough and you'll steadily increase your chances of being able to eat loads AND stay slim. Collect enough stars (thirty or more would be a good target to have) and we personally guarantee that a slim figure, coupled with a healthy but satiated appetite, are yours for the taking. No dieting required.

45604428R00058

Made in the USA
Charleston, SC
29 August 2015